D0625485

Le courage de l'Étalon Noir

Walter Farley

Le courage de l'Étalon Noir

Traduit de l'américain par Jean Muray

Illustrations de Michel Faure

HACHETTE

L'ÉDITION ORIGINALE DE CE ROMAN
A PARU EN LANGUE ANGLAISE
CHEZ RANDOM HOUSE, NEW YORK, SOUS LE TITRE :

THE BLACK STALLION'S COURAGE

Hachette Livre, 43, quai de Grenelle, 75015 Paris.

Chapitre 1

Une nuit
trop silencieuse...

Alec Ramsay ouvrit les yeux et regarda fixement l'obscurité de sa chambre. Il n'arrivait pas à trouver le sommeil. Il était surtout gêné par ce silence total qui pesait sur toutes choses.

Et ce silence, au bout d'un long moment, il eut l'impression de l'entendre ! C'était plus que le calme d'une fin de nuit, plus que l'absence complète du moindre son. C'était un silence vivant, vibrant, que l'on pouvait écouter, comme on écoute bruire un feuillage à la moindre brise. Il ferma les yeux, les rouvrit et fouilla de nouveau l'obscurité. Qu'espérait-il découvrir ?

Soudain, il sauta de son lit, courut à la fenêtre de gauche. Puisqu'il ne pouvait dormir, la seule chose à faire n'était-elle pas de chercher la cause de son inquiétude ? Il se pencha à l'extérieur de la fenêtre, tendit encore une fois l'oreille... Sauf erreur, ce faux silence, ce calme avant la tempête masquait... quoi ? Un ennui quelconque qui se préparait, qui allait éclater avec force ? Mais d'où viendrait l'attaque ? De quelle nature serait-elle ?

Exactement derrière l'écurie des étalons, on distinguait les barrières des enclos. Dans l'un d'eux, Alec aperçut la silhouette blanche de Napoléon, étrangement transparente. Le vieux hongre ne bougeait pas. Sans doute somnolait-il. L'enclos voisin était celui de Black.

Alec, de ses yeux perçants, l'explora. Il lui fallut presque une minute pour découvrir une silhouette sombre, plus haute que celle de Napoléon, et bien plus puissante. L'étalon noir, lui non plus, ne bougeait pas. Sa tête haute, aux oreilles dressées, se dessinait sur l'écran des étoiles. Et la nuit restait calme, trop calme.

Alec balaya encore du regard les prés où paissaient les juments et leurs poulains. Il les voyait bouger dans l'ombre. Mais il n'entendait rien, sauf ce silence de plus en plus lourd, comme un présage menaçant. Le danger, qui l'annoncerait ? Black lui-même ? Les juments ?

Se détournant de la fenêtre, Alec ouvrit un placard, décrocha une salopette et l'enfila par-dessus son pyjama. Puis il chaussa des bottes. La seule chose à faire était de sortir et d'examiner à fond le ranch. Certaines juments, parmi celles qui étaient arrivées depuis peu, se chamaillaient presque sans cesse. Il y avait Miz Liz. Cette poulinière, qui vivait au ranch depuis plusieurs années, pouvait mettre bas d'un instant à l'autre. Mais Alec n'avait à s'inquiéter de rien. Un lad, que ses collègues appelaient le Survolté, était préposé à la naissance des poulains. Il était sûrement, cette nuit-là, à son poste.

Se ravisant, Alec enleva ses bottes et les tint à la main, comme à l'époque où il ne voulait pas réveiller ses parents lorsqu'il rentrait tard. Et, sur la pointe des pieds, il sortit de sa chambre. Ensuite, il se souvint qu'il aurait besoin d'une clef pour rentrer dans la maison. Il fit donc demi-tour, revint sur ses pas et rouvrit le placard. Il se souvenait avoir laissé sa clef dans une poche de son complet brun qu'il n'avait pas porté depuis deux semaines. Ce jour-là, il avait accompagné Henry Dailey à la gare où celui-ci prenait un train qui devait le conduire à l'hippodrome de Pimlico. Henry Dailey, son entraîneur, son associé et son ami de longue date, dont l'absence commençait à lui peser...

En même temps que la clef, il trouva dans sa poche une lettre recommandée qu'il avait complètement oubliée. Il l'avait prise à la poste après avoir quitté Henry Dailey. Furieux contre lui-même, il alla jusqu'à sa table et alluma la lampe. Cette lettre provenait de sa compagnie d'assurance. Rapidement, il la parcourut : on lui annonçait qu'à défaut d'un règlement dans trois jours, granges, écuries et tous les bâtiments du ranch de l'Espoir ne seraient plus garantis en cas de sinistre. Or, ce délai était expiré depuis longtemps...

« Je suis impardonnable ! » murmura-t-il.

Il quitta sa chambre, parcourut le couloir en faisant le moins de bruit possible et ne s'arrêta qu'un instant dans le bureau de son père. Il posa la lettre sur la table. Il prévoyait, pour le lendemain matin, une discussion longue et plutôt animée ! Questions, réponses, explications !

Lorsqu'il fut parti de la maison, il resta un moment sur le seuil, pour s'habituer à l'obscurité. De nouveau, il n'entendit rien d'autre que le silence. Cette fois, il l'entendit comme un avertissement très précis, une mise en garde. Rien de commun avec une banale hallucination auditive ou avec l'un de ces tours que joue souvent l'imagination.

La police d'assurance signifiait : accidents de toutes sortes, incendie surtout... À deux reprises, au cours de la semaine précédente, il avait dû rappeler au Survolté qu'il était dangereux de fumer dans l'écurie des poulinières.

Soudain, pris de peur, il s'élança entre les enclos, laissant derrière lui Black dont le hennissement, sur son passage, rompit brusquement la paix trop profonde de la nuit.

Peu après, il pénétrait dans la pénombre de l'écurie. Il respira à fond des odeurs qu'il aimait : foin, ammoniaque, paille, avoine. Mais pas le moindre relent de tabac. Il passa entre les nombreux boxes vides et alla jusqu'à l'extrémité du couloir, là où il savait que Miz Liz attendait dans l'isolement la naissance de son poulain. Mais, décida Alec, l'événement n'aurait pas lieu cette nuit-là. Sinon, le Survolté n'aurait pas manqué d'allumer une lampe supplémentaire.

Alec s'approcha du box et se pencha par-dessus la demi-porte. Miz Liz se tenait tête basse sous une minuscule ampoule.

« Alors, ma vieille, comment ça va ? » fit Alec à voix basse.

Par un tressaillement des oreilles, elle montra qu'elle avait parfaitement entendu.

Maintenant, Alec comprenait pourquoi le silence nocturne lui avait paru si inquiétant : Miz Liz était sur le point de mettre bas, et c'était là une opération qui n'allait jamais sans risques. Or, le Survolté n'était pas à son poste. Où se cachait-il ?

Alec s'éloigna du box et, à quelques mètres de

là, frappa à une porte. Comme on ne répondait pas, il tourna le bouton, jeta un regard à l'intérieur d'une petite chambre qui était celle du lad. Personne, seulement une chaise, un lit et l'appareil de réanimation qu'il fallait parfois utiliser pour le poulain après sa naissance.

Il regagna le couloir. C'est alors qu'il perçut une musique en sourdine. Il leva les yeux au plafond. Pas de doute : le lad s'était installé dans l'appartement d'Henry Dailey ! Or, il n'avait pas le droit d'y pénétrer, moins encore la nuit que le jour. Alec s'élança dans l'escalier. Sans frapper, il poussa la porte de l'appartement et trouva le Survolté la pipe au bec, les pieds sur une table et assis dans un vaste fauteuil. À l'odeur du tabac se mêlait celle du bois qui brûlait dans le poêle sur lequel grésillait une tranche de bacon.

Surpris par la brusque apparition d'Alec, le lad se hâta de reposer ses pieds sur le plancher.

« Je vois que, pendant l'absence d'Henry, vous êtes ici comme chez vous ! » dit Alec.

L'homme grommela :

« J'étais persuadé que ça ne lui ferait ni chaud ni froid.

— Vous savez bien que c'est le contraire ! Cet appartement est son chez-lui. D'ailleurs, je crois qu'il vous l'a déjà dit. »

Le lad vida la cendre de sa pipe sur une soucoupe. Puis, avec son briquet, il ralluma le tabac qui restait dans le fourneau.

« Il vous a dit aussi de ne pas fumer dans l'écurie, ajouta Alec.

— Voyons, nous sommes dans l'appartement d'Henry. Nous ne sommes pas dans l'écurie !

— C'est la même chose, insista Alec. D'ailleurs Henry lui-même ne fume jamais.

— Parbleu ! À son âge, on n'a plus de défauts. En réalité, on n'est plus bon à rien. C'est vrai pour Henry. Tout le monde le sait. »

Un long moment, Alec ne répondit pas. Le lad se rendit-il compte qu'il venait de dépasser les bornes ? En tout cas, vaguement gêné, il se redressa dans le fauteuil et reprit d'un ton presque conciliant :

« Vous inquiétez pas. J'y mettrai pas le feu, à votre ranch. Retournez dormir et oubliez que vous m'avez trouvé ici. »

Ces propos étaient accompagnés d'un sourire méprisant. Alec se garda cependant de remettre l'homme à sa place. Les lads expérimentés n'étaient pas faciles à trouver, surtout ceux qui savaient soigner les juments poulinières.

« Il faut que vous descendiez, dit enfin Alec sans se départir de son calme. Miz Liz est sur le point de mettre bas.

— J'ai bien le temps de descendre, répliqua le Survolté. C'est toujours comme ça avec les vieilles juments. On se précipite dix fois, vingt fois, pour rien. Miz Liz n'a sûrement besoin de personne en ce moment. Fichons-lui la paix. »

Il ajouta en accentuant son sourire :

« Et puis, j'ai ma pipe à terminer. »

Alex sentit ses mains trembler, et la sueur envahir son visage :

« Il y a des juments avec lesquelles il n'est jamais nécessaire de se presser. Avec Miz Liz, ce n'est pas le cas. Vous savez bien pourquoi !

— Si vous êtes inquiet, occupez-vous d'elle

vous-même ! lança le lad. Je me moque de cet emploi ! Dans mon pays, le Kentucky, on me propose des situations bien meilleures. Il y a aussi des poulinières dans le Kentucky. Mais il n'y a pas beaucoup de lads avec ma spécialité. »

Alec ne parvint plus à se contenir :

« N'empêche que vous ne semblez guère connaître votre métier. Vous êtes là, à tirer sur votre pipe, tandis que Miz Liz... Vous avez des prétentions. Moi, j'estime que vous êtes trop paresseux pour nous. Vous n'appartenez plus au personnel. Vous pouvez partir immédiatement. »

En prononçant ces derniers mots, Alec avait tendu machinalement la main comme pour la poser sur le bras du lad. D'un bond, celui-ci se dressa, les sourcils froncés, saisit la main au vol et la repoussa avec brutalité.

Alec, surpris, perdit l'équilibre et, tombant à la renverse, heurta de la tête le plancher. Il ne perdit pas tout à fait connaissance, mais s'aperçut à peine que le lad quittait l'appartement.

Tant bien que mal, il se releva. Juste à cet instant, il entendit, plutôt qu'un hennissement, un bruyant reniflement qui montait de l'écurie. Il se jeta hors de l'appartement et dégringola l'escalier en criant :

« Me voilà, Miz, me voilà ! Tu ne seras pas seule avec ton poulain ! »

Car il était persuadé que le poulain était né. Auquel cas, il ne lui restait que quelques secondes pour empêcher ce qu'il redoutait...

Au bas de l'escalier, il ne s'arrêta pas. Il continua sa course jusqu'au box de Miz Liz. Là, il s'empressa d'allumer la grosse lampe placée juste au-dessus du box. Il arrivait à temps ! La jument commençait à se redresser. Et, près d'elle, enfoncé dans la paille, reposait le poulain nouveau-né.

En d'autres circonstances, Alec serait resté à l'extérieur et aurait contemplé la mère et son petit. Il ouvrit la demi-porte et se précipita à l'intérieur. Miz Liz, dès qu'elle avait été debout, s'était tournée vers le poulain et s'approchait déjà de lui, non pour le lécher, mais pour le tuer !

Alec lui appliqua sur la croupe un coup de poing si vigoureux qu'elle sursauta et s'arrêta. Comme il levait encore sur elle une main menaçante, elle hésita à reprendre sa marche vers le poulain. Mais ses oreilles couchées et ses yeux flamboyants montraient qu'elle n'avait pas renoncé à son projet. En tout cas, elle laissait à Alec un bref moment de répit. Il en profita pour se pencher vivement et prendre le poulain dans ses bras. Alors, la mâchoire menaçante, les yeux plus cruels que jamais, elle fit mine de l'attaquer. Il ne demanda pas son reste. En deux enjambées, il sortit du box et claqua la porte presque sur les naseaux de la jument.

Ayant posé avec douceur le poulain sur le sol, il revint vers le box. La jument semblait calmée. Elle leva à peine la tête quand Alec lui dit :

« Pourquoi fais-tu ça ? Tu te trompes si tu crois que je vais te laisser tuer celui-là comme tu as tué le précédent... comme tu as tué aussi le pauvre Charles Grimm. Je n'ai pas peur de toi. Tu m'inspires surtout de la tristesse. »

Il revint près du poulain. Un beau petit animal, moins noir toutefois que Black, son père. Bien vivant déjà, les naseaux largement ouverts. Alec alla chercher un chiffon propre, et entreprit d'essuyer le nouveau-né.

« Ce n'est pas aussi agréable que la langue de ta mère, dit-il. Mais l'effet sera le même. »

Il ajouta, pendant que le poulain commençait à faire des efforts pour se redresser :

« J'ai le regret de te dire que tu n'as pas une mère très normale. Elle ne te connaît pas. Je crois même qu'elle aimerait bien se débarrasser de toi. Pourtant, tu verras qu'elle s'habituera. Seulement, au début, il faudra nous montrer prudents, toi et moi. Puis, au bout de quelques heures... »

Brusquement, Alec s'était arrêté de parler en entendant une porte s'ouvrir à une vingtaine de mètres et en voyant son père surgir dans le couloir.

« Papa ! s'exclama-t-il, que fais-tu ici ? »

M. Ramsay n'eut même pas besoin de répondre. Il courut ouvrir une autre porte, celle qui conduisait au premier étage. Immédiatement, un nuage de fumée envahit l'écurie ! À cet instant, Alec se souvint qu'il avait surpris le palefrenier occupé à faire cuire une tranche de bacon sur le poêle d'Henry Dailey... et que ce poêle, en quittant l'appartement, il avait oublié de l'éteindre !

C'en était bien fini du grand silence nocturne ! Alec se lança dans l'escalier, pour rejoindre son père et l'aider. Il entendit, venant de derrière l'écran de fumée, le crépitement des flammes. « C'est ma faute... ma faute ! se répétait-il. J'ai laissé se déclencher la catastrophe ! »

Chapitre 2

Le drame

La fumée montait au-dessus de l'écurie. Sans bruit, elle s'élevait, se gonflait, se déplaçait doucement. Puis, libérant la puissance emmagasinée dans sa masse, elle éclata comme une bombe. Des langues de flammes jaillirent des fenêtres du premier étage, s'accrochèrent aux cimes de plusieurs arbres et les dévorèrent. Leurs sifflements s'ajoutaient aux hennissements et aux cris des chevaux disséminés dans les pâturages. À une distance encore assez grande, la sirène d'un village voisin faisait entendre sa plainte.

Alec et son père descendirent l'escalier intérieur de l'écurie. Leurs silhouettes semblaient flotter à travers un rideau grisâtre.

« Papa, occupe-toi du poulain, dit Alec. Nous avons fait là-haut tout ce que nous pouvions. »

Sa voix ne trahissait aucune frayeur, mais seulement un découragement immense.

« Moi, reprit-il en ramassant sur le sol un sac vide, je m'occuperai de la jument. »

De la tête, M. Ramsay répondit « oui ». Mais son

regard fixe était celui de quelqu'un qui hésite à comprendre, ou qui n'a encore rien compris à ce qui se passe. Néanmoins, il souleva le poulain, l'aida à se mettre sur ses jambes. Puis, se tournant vers son fils :

« Surtout, Alec, méfie-toi de la mère ! »

Il regarda Alec entrer dans le box et s'approcher de Miz Liz. Il l'écouta lui parler comme si rien d'anormal ne se produisait au premier étage. Alors, un peu rassuré, il prit le poulain dans ses bras et se dirigea vers la porte donnant sur l'extérieur.

Après avoir bouclé une courroie au licol de la jument, Alec l'aveugla en lui fixant autour de la tête, comme un bandeau, le sac qu'il avait ramassé un moment auparavant. Ensuite, la prenant par la courroie, il la fit sortir du box, et l'entraîna vers la porte. La peur la rendait docile. Il n'y avait plus, dans son attitude, la moindre trace de méchanceté.

Soudain, au-dessus d'eux, le plafond explosa. Des flammèches tombèrent aux pieds d'Alec et mirent le feu à la paille.

Comme la jument ralentissait, Alec tira sur la courroie pour la faire marcher plus vite. Plusieurs fois, atteinte par des flammèches, elle hennit de souffrance et, si Alec ne l'avait pas tenue bon, elle lui aurait échappé.

Quelques secondes plus tard, ils avaient rejoint à l'extérieur M. Ramsay et le poulain. Après cette traversée de la fournaise, c'était un soulagement de respirer l'air frais de la nuit ! Ils ne s'arrêtèrent qu'à une centaine de mètres des bâtiments. Alec délivra la jument de son bandeau et resta près d'elle, tournant le dos à l'incendie, comme si, par ce moyen, il espérait oublier le terrifiant spectacle. Quant à Miz

Liz, ayant aperçu à quelques pas son poulain allongé dans l'herbe, elle tendait le cou dans sa direction. On aurait dit qu'elle le voyait pour la première fois. Et elle faisait entendre de petits hennissements étouffés où il y avait une sorte de tendresse.

M. Ramsay, lui, était resté face à l'incendie.

« Oh ! Alec... » gémit-il.

Mais à quoi bon se lamenter ? Dès que l'incendie avait éclaté, il était déjà trop tard pour sauver un bâtiment plein de matières combustibles. Quelques lads venaient de mettre en batterie la pompe du ranch. Hélas ! elle était petite et d'un débit très insuffisant. Quant à la pompe du village voisin, beaucoup plus efficace, elle n'était pas encore arrivée au ranch.

Tous les chevaux étaient sauvés. En revanche, l'écurie qu'Alec, M. Ramsay et Henry Dailey avaient construite ensemble, elle, allait être rasée par l'incendie !

« Au moins, dit Alec, on va pouvoir empêcher les flammes de réduire tout le ranch en cendres.

— De ce côté, pas de danger, dit M. Ramsay. Il n'y a presque pas de vent. D'ailleurs, les autres bâtiments sont assez espacés les uns des autres.

— Je ne pensais pas uniquement aux bâtiments, précisa Alec. Je pensais aussi aux arbres. »

En même temps, il s'efforçait d'empêcher le poulain de s'éloigner de sa mère.

« Toi, lui dit-il, tu ferais bien de profiter de l'occasion pour apprendre à téter. »

Dès que le petit animal fut campé sous sa mère et téta énergiquement, Alec se retourna vers l'incendie. Malgré la distance, il percevait le ronflement des flammes. « Ce qui est consolant, songea-t-il, c'est que tous les chevaux sont sauvés, même Miz Liz et son poulain ! »

Il entendit les hennissements stridents et répétés de Black. Cependant, il resta face à l'incendie. Il était fasciné par la colonne étincelante qui semblait monter à l'assaut du ciel. Une seule destruction véritable, mais de taille : l'écurie la plus vaste, la plus grande. Mais, après tout, il ne s'agissait que d'une écurie. Malheureusement, le sinistre s'élevait à environ cent mille dollars, et n'était couvert par aucune garantie ! Pas la moindre chance d'obtenir quoi que ce soit de la compagnie d'assurance ! En somme, la perte sèche dans toute sa splendeur !

« Malgré tout, répéta à mi-voix Alec en se forçant à l'optimisme, nous n'avons perdu que cela... »

Edward Henne, le chef des pompiers, s'approcha.

« Désolé, Alec, dit-il, nous avons puisé dans l'étang. Mais nous n'en avons pas tiré grand-chose.

— Je sais, répondit Alec. Merci quand même. »

L'incendie fit rage jusqu'à l'aube. Quelques voisins accouraient, les uns pour assister au terrifiant spectacle, les autres, les plus nombreux, pour exprimer leur sympathie. Pendant une heure, Mme Ramsay, la mère d'Alec, resta près de lui.

« Quel désastre ! dit-elle. Mais ça aurait pu être plus grave encore. Imagine qu'Henry ait été dans son appartement, dormant à poings fermés ! Nous ne nous en serions jamais consolés, ni toi ni moi, n'est-ce pas ? En outre, il est réconfortant de penser que tous les chevaux sont vivants et que, pour l'écurie, il y a l'assurance... »

Alec se garda bien de mettre les choses au point. À quoi bon accroître l'angoisse de Mme Ramsay, dans un moment où ils sentaient l'un et l'autre, sur leurs visages, la brûlure des flammes ?

L'incendie se termina à la première lueur de l'aube. Les pompiers partirent. Les spectateurs en firent autant. Il n'y avait plus rien à voir. À la place de l'écurie, il ne restait qu'un énorme tas de cendres. Alec s'aperçut que son père se tenait à son côté.

« Que vas-tu faire, Alec ? » demanda M. Ramsay.

Alec ne répondit pas tout de suite. Il était comme un dormeur qui émerge d'un cauchemar.

« Dieu merci, dit-il à la fin, nous ne sommes pas en hiver. Nous allons pouvoir nous passer de cette écurie pendant quelque temps. Les juments et les étalons utiliseront les abris qui sont dans les prés. Nous placerons provisoirement Miz Liz et son poulain dans l'écurie des chevaux d'un an. Après quoi, nous les laisserons à l'extérieur avec les autres.

— Très bien. D'ailleurs, l'écurie sera reconstruite avant la mauvaise saison.

— À condition que nous trouvions des fonds pour cela », dit Alec.

M. Ramsay se tourna vers son fils :

« Allons, tu n'as pas à t'inquiéter. Notre assurance couvre ce sinistre... jusqu'à cent mille dollars, si j'ai bonne mémoire. Je vais faire immédiatement la vérification. Et, dès aujourd'hui, j'envoie une lettre à la compagnie.

— Nous ne sommes plus assurés, papa. Exactement depuis trois jours. »

M. Ramsay sursauta :

« Qu'est-ce que tu me racontes ? Tu perds la tête ?

— Je n'ai placé que cette nuit sur ton bureau

20

l'avis de paiement de la prime. Je l'avais depuis quinze jours.

— Tu avais oublié de me le remettre ? »

Alec baissa la tête et murmura :

« Je l'ai gardé dans ma poche. »

M. Ramsay resta un moment à contempler le monceau de cendres. Puis, rompant le silence :

« Nous sommes aussi fautifs l'un que l'autre. J'aurais dû noter l'échéance. Comme ça, la compagnie n'aurait pas été obligée de nous la rappeler. »

Alec passa plusieurs fois sa langue sur ses lèvres sèches :

« Que reste-t-il de la somme gagnée par Black Minx au Kentucky Derby ?

— Assez pour faire déblayer les décombres par un bulldozer. Le reste, ou presque, a servi à payer l'entrepreneur qui a remis en état la piste d'entraînement. Nous ne sommes pas riches en ce moment, Alec. »

Un instant, Alec observa, à la clarté encore trouble du matin, des poulains de deux ans qui jouaient, ruaient ou se cabraient.

« Ce sont ceux-là, les plus jeunes, qui représentent notre capital, dit-il à mi-voix.

— Tu ne songes tout de même pas à vendre des poulains ? protesta M. Ramsay.

— Il faudra bien, s'il n'y a pas d'autre solution.

— Ils pourraient nous servir à emprunter, suggéra M. Ramsay.

— En effet, ce serait une solution. Mais elle ne me plaît guère, Nous avons déjà assez de dettes.

— Alors quoi ?

— Faire courir. »

M. Ramsay répliqua vivement, comme s'il sautait sur une occasion :

« Pourquoi pas ? Il y a Black Minx. Bien sûr, j'aurais dû penser à elle. Mais, toi et Henry, vous m'avez dit qu'elle avait peu de chances dans le Preakness. Personnellement, je la crois capable de renouveler son exploit du Derby. N'oublie pas qu'elle y a battu des mâles ! Donc elle devrait gagner sans difficulté le Preakness... et le Belmont par-dessus le marché. »

Alec parut avoir retrouvé son sourire :

« On voit bien, papa, que tu n'es pas un professionnel !

— Je n'ai jamais eu cette prétention. Ce n'est pas la première fois qu'un cheval gagne dans l'année trois grandes courses !

— Huit chevaux seulement, depuis 1875, ont accompli cet exploit. Et, parmi eux, il n'y avait pas une jument.

— On répète, insista M. Ramsay, que les juments sont incapables de gagner le Derby. Pourtant, Black Minx l'a gagné !

— Je sais, papa. Mais, depuis lors, les choses ont changé.

— Tu n'as plus confiance en elle ? Tu es mieux placé que n'importe qui pour la juger. C'est toi qui la montes. Et, la semaine dernière, tu es allé en avion à Pimlico pour voir ce dont elle est encore capable.

— Elle possède toujours l'allant, l'endurance, la vitesse. Pourtant... je ne sais pas. C'est peut-être...

— Je ne vois pas pourquoi tu t'inquiètes, Alec. Veux-tu un conseil ? Rejoins immédiatement Henry à Pimlico. Sur place, tu verras bien si Black Minx est toujours capable, je ne dis pas de gagner, mais de s'assurer une bonne place dans un prix important. Pendant ton absence, je m'occuperai de la reconstruction de l'écurie. Pour commencer, je demanderai des devis à plusieurs entrepreneurs. Inutile de pleurnicher sur nos ennuis. Nous avons du pain sur la planche. Il faut nous mettre au travail sans le moindre retard.

— J'ai beaucoup plus que ça à faire, dit Alec sans élever la voix.

— Quoi ? Tu n'as pas à te faire de soucis à notre sujet. Nous aurons toute l'aide désirable. D'ailleurs, Miz Liz est la dernière jument, avant un certain temps, à avoir son poulain.

— D'accord, papa. Ce n'est d'ailleurs pas tellement à ça que je songeais, mais à la nécessité — pour moi — de redoubler d'efforts. La reconstruction de l'écurie, cent mille dollars ! Il faut les trouver.

— C'est juste », répondit M. Ramsay.

Et il ajouta avec une sincère confiance :

« Je ne vois vraiment pas comment vous pourriez perdre, toi et Black Minx. »

Alec répliqua sans se départir de son calme :

« Pour obtenir le résultat auquel je pense, il me faut un cheval plus sûr et bien plus brillant que Black Minx. C'est pourquoi je vais emmener Black. »

Un instant plus tard, dans le silence total du matin, juments et poulains cessèrent de brouter et suivirent Alec du regard jusqu'à ce qu'il eût atteint l'enclos où Black, le grand étalon noir, semblait l'attendre.

Chapitre 3

Sur la piste

Le samedi suivant, un journal très lu par les turfistes et diffusé sur tout le territoire des États-Unis
publia un article très intéressant :

CHRONIQUE DES COURSES
par Count Cornell

*Baltimore (Maryland), 22 mai. L'un de nos
jockeys, parmi les plus populaires, doit arriver ce
matin à l'hippodrome de Pimlico. Toutefois, on peut
être sûr que les personnes présentes lui accorderont
bien moins d'attention qu'à son cheval.*

*Pourquoi cette certitude ? Parce que Black va
faire sa rentrée. À chaque arrêt du train qui le
transporte, des centaines de turfistes se sont pressés
autour de son wagon pour essayer d'apercevoir le
célèbre étalon noir. Et aucun, semble-t-il, n'a
accordé le moindre regard au jeune jockey, Alec
Ramsay, qui l'accompagne. Black sera donc*

aujourd'hui même à Pimlico et commencera sur-le-champ son entraînement.

D'autres turfistes seront là, pour l'admirer certes, mais aussi pour le juger, peser ses chances et décider s'il a encore un avenir. Chacun sait, en effet, que les étalons à la retraite s'alourdissent et perdent certaines de leurs qualités. En outre, quand un cheval prend de l'âge, quelle que soit sa valeur, il est bien difficile de le ramener à cette forme qui seule permet d'arracher les grandes victoires. C'est ce qu'on murmure dans les milieux compétents.

Mais Henry Dailey, l'entraîneur du ranch de l'Espoir (et copropriétaire du ranch avec Alec Ramsay), se bouche les oreilles. Il est convaincu que Black remontera la pente et sera bientôt prêt à participer, probablement dans l'État de New York, aux épreuves les plus retentissantes et... les mieux dotées.

Il n'est pas inutile d'ajouter que le ranch de l'Espoir a perdu, la semaine dernière, dans un violent incendie, sa plus spacieuse écurie. Comme elle n'était pas assurée, il faut que ses propriétaires trouvent avant l'automne, pour la faire reconstruire, cent mille dollars.

Cette somme considérable, les propriétaires devraient pouvoir la réunir. Ne possèdent-ils pas deux cracks de valeur : Black, et l'un de ses produits, une pouliche de trois ans, Black Minx, qui a récemment remporté un triomphe dans le Kentucky Derby ? Black Minx est déjà engagée dans le Preakness qui se dispute samedi prochain. Cette pouliche est très capable de se passer de l'aide de son illustre père... Mais on a l'impression qu'Alec Ramsay et Henry Dailey, ces deux magiciens, ne

*tiennent pas à trop exposer leurs juments pouli-
nières aux rigueurs de la mauvaise saison. On chu-
chote qu'ils mijoteraient quelque plat dont ils
connaissent seuls le secret. Nous serons tous
curieux d'y goûter.*

*

* *

À Pimlico, Henry Dailey pénétra le premier dans
le wagon. Peu après, il reparut au sommet de la
rampe. Il tenait par la bride le hongre à robe grise,
Napoléon, compagnon de toujours de l'étalon noir.
Immédiatement, les photographes se précipitèrent.

« Henry, cria l'un d'eux, arrangez-vous pour qu'il
ne bouge pas pendant une petite minute ! »

Napoléon avait-il compris ? En tout cas, il
s'immobilisa, le temps de permettre aux photographes d'opérer. Puis il descendit la rampe, d'un
pas prudent, tel un vieux gentleman que son chauf-
feur aide à descendre de sa voiture.

Le même photographe interpella de nouveau
Henry Dailey :

« Allons, Henry, tenez-vous un peu plus droit.
Vous avez l'échine presque aussi courbée que Napoléon. »

Henry n'aimait pas qu'on lui rappelât son âge. Il
faillit riposter. Il n'avait pas son pareil pour
remettre un malappris à sa place. Mais il se ravisa
en constatant que photographes, journalistes et
badauds n'avaient plus d'yeux que pour l'étalon
noir. Celui-ci venait d'apparaître à son tour au sommet de la rampe. Ses grands yeux sombres lançaient
un éclair chaque fois qu'un appareil cliquetait.

« Alec, cria un autre photographe, empêchez-le

27

de bouger. Faut tout de même que nous fassions notre métier ! »

Un badaud, haussant la voix pour être sûr que tout le monde l'entendrait, constata :

« Il n'a pas grossi. Son poitrail est toujours aussi musclé, ses jambes aussi fines.

— Je vous l'avais dit, répliqua son plus proche voisin. D'ailleurs Henry Dailey nous a expliqué que Black sort chaque jour et qu'il galope avec énergie. À tel point qu'on doit le modérer. Il ne faudrait pas qu'il maigrisse trop. »

Un jockey, reconnaissable à ses jambes arquées, fit ce commentaire :

« Henry Dailey m'assurait tout à l'heure que Black retrouverait vite sa forme. J'hésitais à le croire. Maintenant...

— Moi, intervint un lad, je trouve même qu'il est mieux qu'avant. Peut-être moins beau, mais plus dur.

— Qu'est-ce que ça peut faire, qu'il soit moins beau ? lança un deuxième lad. L'essentiel, pour un cheval comme celui-là, c'est la vitesse, la résistance et la joie de courir. Voulez-vous que je vous dise ? Eh bien, un étalon de cette classe, rien ne me serait plus agréable que de le soigner, de le panser, de le bichonner ! »

Black mesurait, au garrot, plus d'un mètre soixante-dix. Grâce à ses proportions parfaites, cette taille exceptionnelle passait presque inaperçue. Toujours au sommet de la rampe, il bougeait sans cesse, piétinait le plancher du wagon. La nervosité faisait ruisseler sur son corps puissant une sueur qui miroitait au soleil. Ses oreilles, remarquablement petites, oscillaient, frémissaient, se couchaient ou se redressaient brusquement quand Alec y jetait quelques mots à mi-voix ou lorsque la conversation entre les badauds se faisait plus bruyante.

Les journalistes ne cessaient de l'observer. Ils le jugeaient vraiment bien nerveux. Pour courir dans de bonnes conditions, un cheval doit être calme et maniable. Il ne fallait pas non plus oublier que Black, avant de briller sur les hippodromes, avait passé, dans les déserts d'Arabie, toute sa jeunesse sauvage à se battre contre ses semblables.

Le populaire journaliste Count Cornell l'observait lui aussi et prenait sur son calepin des notes qui lui fourniraient la matière d'un nouveau compte rendu. À un moment donné, il s'approcha de la rampe pour tenter d'entendre ce qu'Alec Ramsay disait à Black. S'il parvenait à capter quelques bribes de cette étrange conversation, quel article sensationnel il pourrait faire ! Il l'intitulerait : *Entretien entre un crack célèbre et son unique maître et ami.* Mais Alec parlait bien trop bas pour que Cornell pût saisir une seule de ses paroles. D'ailleurs le journaliste se demanda si, plutôt que des paroles, Alec ne se contentait pas de prononcer des mots complètement dépourvus de sens, des sortes d'onomatopées qui s'enchaînaient en un murmure apaisant. De fait, Black cessa bientôt de piaffer, de s'agiter et, après avoir éprouvé, d'un sabot délicat, la solidité de la rampe, il commença à son tour de descendre. Et il ne sursauta même pas lorsque le déclic des appareils photo rompit le silence. Il regardait avec orgueil autour de lui, comme un souverain regarde ses sujets. Lorsqu'il eut atteint le sol, les photographes et les journalistes firent encore un pas vers lui, pour le voir de plus près. Alors, il se reprit à frémir. Tous ses muscles tressaillirent sous sa robe aussi sombre que la nuit. Sa tête finement modelée se dressa, ses naseaux se dilatèrent. Henry Dailey s'avança :

« Cela suffit, messieurs. Laissez-nous le passage. Le spectacle est terminé. »

Aussi vite qu'il le pouvait, il plaça Napoléon près de Black, flanc contre flanc. Et le cortège s'ébranla.

Un autre journaliste, qui se trouvait par hasard à moins d'un mètre d'Henry, lui demanda en marchant :

« Pourquoi n'avez-vous pas laissé Black finir la saison au ranch de l'Espoir ?

— Parce que nous avons besoin de lui sur les champs de courses, répondit Henry. N'oubliez pas que nous avons là-bas un autre étalon de grande valeur, Satan, qui est lui-même un produit de Black.

— C'est donc que vous jugez Black capable de remporter encore des épreuves importantes ?

— Pourquoi pas ? »

Le journaliste sourit :

« Je suis prêt à vous croire, Henry. Pourtant, si j'ai bonne mémoire, un seul cheval a jamais fait une seconde carrière, après avoir pris sa retraite. Il s'appelait Citation.

— Pensez-en ce que vous voudrez, grogna Henry. Je ne m'inquiète pas pour Black. Il réussira aujourd'hui comme naguère. Donc, ne vous en faites pas pour lui. »

Peu après, le cortège arriva derrière l'hippodrome et longea une longue file de bâtiments. Henry trouva aisément l'écurie où un box était réservé à Black. Un lad en tenait d'ailleurs la porte ouverte.

Alec fit entrer l'étalon noir. Au même moment, il entendit un troisième journaliste dire à Henry :

« Vous n'avez pas engagé Black Minx dans le Preakness qui se court samedi prochain. Cela semble prouver que vous n'avez pas beaucoup confiance en elle.

— Où avez-vous pêché ça ?

— Le Preakness est un handicap, une épreuve qui convient parfaitement à Black. Or, vous avez besoin de cent mille dollars pour reconstruire votre écurie.

— C'est vrai que nous avons besoin d'argent. Mais ça n'a rien à voir avec Black. La pouliche gagnera tout ce qu'il nous faut pour reconstruire l'écurie. »

Alec se pencha pour débarrasser Black des bandages qui protégeaient ses jambes quand il voyageait. Et il entendit Henry entrer avec Napoléon dans le box voisin, tandis que le même journaliste insistait :

« On m'a raconté que votre pouliche ne s'est pas remise de l'effort qu'elle a fourni dans le Derby. »

Henry fut sarcastique :

« Vous connaissez un vainqueur du Derby qui n'est pas un peu fatigué après l'épreuve ?

— Vous ne m'avez pas compris, reprit le journaliste. Je voulais dire seulement que... »

Henry l'interrompit avec brusquerie :

« Soyez patient, que diable ! On verra bien ce que l'avenir nous réserve ! »

Alec s'arrêta de dérouler les bandages et leva la tête. Henry sortit du box de Napoléon, s'approcha de celui de Black et s'adressa cette fois à tous les journalistes massés dans l'écurie :

« J'ai encore un mot à vous dire. Ce sera le dernier pour aujourd'hui. Nous avons amené Black ici pour lui donner une chance de reprendre la compétition. Rien d'autre. C'est un simple essai que nous faisons. S'il tarde à retrouver la forme, nous le ramenons au ranch sans insister. Vous avez pu constater vous-même qu'il n'a pas besoin de perdre un gramme. Chez nous, il a vécu au grand air. Il a galopé chaque jour. Je suis certain qu'il nous donnera satisfaction. Dans le cas contraire, nous ne perdrons rien, car nous utiliserons la pouliche. Ce sera d'autant plus facile qu'elle est déjà ici. Quant à Black, nous ne craignons pas qu'il se blesse à l'entraînement. Au ranch, sur notre piste, ça ne lui est jamais arrivé. C'est tout, messieurs, ce que j'avais à vous dire. Maintenant, laissez-nous travailler. »

Alec massait les jambes de Black quand Henry entra enfin dans le box et s'accroupit près de lui.

« Alec, demanda le vieil entraîneur avec un accent attristé, qu'est-ce qui te forçait à faire cette bêtise... à venir sans crier gare à Pimlico... surtout dans des circonstances aussi défavorables ? Black n'a aucune chance de retrouver la forme, pas une chance sur dix mille de nous être utile ! »

Chapitre 4

Un deuxième Derby !

Alec s'arrêta de masser les jambes de l'étalon noir :

« Henry, pourquoi dites-vous ça ? Ne souhaitez-vous pas que Black reprenne la compétition ?

— Bien sûr. Mais pas dans cette atmosphère.

— C'est-à-dire ?

— Avec ce cérémonial pour son retour ! Ces journalistes, ces photographes, ces chichis ! Les handicapeurs vont lui coller sur le dos une charge assez lourde pour stopper un train de marchandises. Ils vont le crever ! »

Devant cet accès de colère, Alec ne put s'empêcher de regarder Henry Dailey en souriant. Puis il se tourna vers Black. Le superbe animal tirait du râtelier les brassées de luzerne séchée qu'Henry s'était procuré à son intention.

« Un pauvre petit cheval si anémique, si faiblard ! murmura Alec.

— C'est bien le moment de plaisanter ! bougonna Henry.

— Excusez-moi. Je voulais simplement dire...

Bref, vous et moi, nous considérons Black comme le meilleur crack de tous les temps. Il est normal que les autres pensent la même chose. Et, les autres, ce sont aussi les handicapeurs. Après tout, leur métier consiste à égaliser les chances, à laisser à chaque concurrent les moyens de gagner. »

Se retournant vers l'étalon noir, Alec ajouta :

« Je ne crois pas qu'il faiblira, quelle que soit la charge qu'il devra porter.

— Possible qu'il ne faiblisse pas, répliqua Henry dont la mine restait sombre. Mais il ne gagnera aucune course, j'en suis convaincu.

— Nous ne sommes pas obligés de le faire courir, observa Alec. Si nous jugeons qu'il est trop chargé, nous le garderons à l'écurie.

— C'est aussi mon avis, approuva le vieil entraîneur en se dirigeant vers la porte du box. Mais pourquoi le garder à l'écurie ? Ça ne lui ferait aucun bien et ça ne présenterait aucun avantage pour nous. Il serait mieux au ranch. »

Alec se mordit la lèvre et demanda d'un ton irrité :

« Vous vouliez qu'il reprenne l'entraînement. Comment l'entendiez-vous, Henry ? Que souhaitiez-vous exactement ?

— Black est ici, n'est-ce pas ? Ça nous avance à quoi ? Nous ne pouvons même pas le renvoyer au ranch immédiatement. On croirait que nous avons peur.

— Henry, vous n'avez pas répondu à ma question. J'aimerais quand même connaître le fond de votre pensée ! »

Le vieil entraîneur ouvrit la porte du box :

« Dans notre métier, Alec, il faut savoir quelquefois manœuvrer. Black attire les foules. Je me disais que je pourrais l'emmener sur la côte Ouest. Là-bas, il serait peut-être moins pénalisé. En Californie par exemple, on a un faible pour les chevaux célèbres.

— À New York aussi.

— C'est vrai. Mais pas au point de rendre médiocres des épreuves qui pourraient être magnifiques. Je connais, sur la côte Ouest, un handicapeur qui aime voir les courses se terminer par un *dead heat*. Il n'est intéressé que lorsque deux chevaux finissent ensemble et que la lutte dure jusqu'à la dernière foulée. »

Alec sortit du box derrière Henry. Il savait que celui-ci avait raison, et qu'il aurait dû lui-même, simple prudence, attendre un peu avant d'annoncer à la presse que Black allait reparaître sur les hippodromes. Au reste, il n'était pas question d'éviter New York. La pouliche Black Minx devait y courir le Belmont, après avoir participé, sur la piste de Pimlico, à une autre épreuve, le Preakness.

« Ne sois pas si renfrogné, Alec, dit Henry avec une feinte légèreté. Si notre pouliche continue à courir comme dans le Derby, elle représente pour nous une mine d'or. À elle toute seule, elle nous permettra de reconstruire l'écurie ! »

Alec s'assura que le haut — garni d'un fin grillage — de la demi-porte du box était bien fermé. Ainsi, Black serait protégé des mouches et autres insectes. Puis, se retournant vers Henry :

« J'aimerais que Black soit engagé dans l'un des grands handicaps de New York, pour le cas où... »

Il s'arrêta devant le froncement de sourcils du vieil entraîneur.

« Pour le cas où la pouliche nous laisserait tomber ? fit Henry. C'est bien là ce que tu voulais dire ? »

Alec ne dut pas répondre assez vite, car Henry enchaîna :

« Tu es quelquefois un drôle de garçon, Alec ! Après le résultat que tu as obtenu avec elle dans le Derby, je croyais que tu n'hésiterais pas à la faire courir de nouveau. Or, les deux dernières fois que tu l'as montée, tu m'as semblé... »

Alec l'interrompit :

« Si elle court comme dans le Derby, je suis persuadé qu'elle sera la première pouliche à gagner la Triple Couronne.

— Tu dis ça, mais tu n'en crois rien ! Quand tu lui as donné un galop la semaine dernière, tu as estimé qu'elle ne se livrait pas, c'est bien ça ? Voilà ce qui te tracasse. Tu oublies un détail : avant le Derby, elle semblait paresseuse aussi. J'ai su la réveiller. Et je suis prêt à recommencer s'il le faut. »

Et, se remettant soudain en colère, Henry scanda :

« Il y a des années que nous collaborons. Si tu n'as pas confiance en elle, tu devrais au moins avoir confiance en moi ! »

Puis il pivota et s'éloigna d'un pas rapide, tandis qu'Alec protestait :

« Mais, Henry, j'ai en vous une confiance absolue ! »

Finalement, Alec tourna le dos. S'il était inquiet, ce n'était pas seulement de la mollesse que Black Minx montrait à l'entraînement. Il avait pu constater qu'elle était en parfaite santé, toujours aussi rapide et énergique. C'était son regard, l'expression de ses yeux. Ce qu'on pouvait y déchiffrer paraissait très clair : la pouliche était lasse de courir. Après sa magnifique victoire dans le Derby, elle ne semblait plus désirer que le repos. Quels mots aurait-il fallu employer pour rendre cet état de choses sensible à Henry Dailey ?

Alec trouva Black Minx dans un box placé dans un coin, à l'extrémité de la rangée. Elle paraissait somnoler. Alec ouvrit la porte en murmurant :

« Allons, ressaisis-toi. Conduis-toi comme une grande dame. »

Elle avait la ruade facile. Il n'aurait pas fait bon s'approcher d'elle sans s'être annoncé par quelques mots ! Il tendit la main, la frôla de l'index. Elle souleva ses paupières et, tout aussitôt, les referma. Alors, il la caressa franchement, mais toujours avec douceur. Il éprouvait du plaisir à passer et repasser sa main sur cette robe soyeuse, où se jouaient deux ou trois rayons de soleil. Puis il la contempla. Elle avait la classe d'un grand crack. Mais cette nonchalance, cette paresse... Henry Dailey parviendrait-il, comme il le prétendait, à lui rendre sa flamme, sa fougue ?

« Regarde-moi, reprit Alec. Comme ça, je saurai si Henry a raison. »

Elle ne bougea pas et garda obstinément ses paupières abaissées.

Elle semblait petite. En réalité, elle était d'une bonne taille. Et quels muscles ! Un examen superficiel ne suffisait pas pour s'en rendre compte. Il fallait l'observer avec attention. Puis Alec se souvint : elle s'était blessée à l'antérieur droit, au départ du Derby. Il se pencha, examina l'endroit de la blessure. Et, en le palpant, il pensait qu'elle avait montré un courage extraordinaire en terminant l'épreuve et en la gagnant ! Vraiment, elle était digne de Black, l'auteur de ses jours. Quant à la blessure, Dieu merci, il n'en restait plus la moindre trace.

Alec se redressa et l'examina de nouveau. « Pourquoi hésiter ? se demandait-il. Qu'est-ce qui m'empêche encore de partager entièrement la confiance qu'elle inspire à Henry ? »

Et, à haute voix :

« Garde les yeux fermés si ça t'arrange. Il vaut peut-être mieux que je ne les voie pas. Tu joues la comédie et tu essaies de me faire marcher. Mais ce n'est pas moi le patron. C'est Henry. Tu n'arriveras pas à le tromper ! »

En quittant le box, Alec aperçut deux hommes qui apportaient de la gare le coffre contenant les harnais de Black. Un peu plus loin, Henry Dailey bavardait avec Donald Conover, l'entraîneur de Wintertime, un poulain qui avait terminé second derrière Black Minx dans le Kentucky Derby. La conversation se déroulait près du box de Wintertime. Celui-ci passait la tête par-dessus la demi-porte.

Alec jeta un coup d'œil dans le box de Black. L'étalon noir continuait à manger sa luzerne séchée. Ensuite, Alec passa à la sellerie. Il ouvrit le coffre qu'on venait d'apporter. Il en retira une vieille selle. C'est à ce moment qu'apparut Henry Dailey.

« Elle commence à être dans un piteux état, dit-il en s'accroupissant près d'Alec.

— Elle en vu de toutes les couleurs ! »

Henry prit la selle.

« Oui, de toutes les couleurs, répéta-t-il. J'espère qu'on te permettra encore de l'utiliser...

— Je n'en veux pas d'autre pour monter Black !

— Elle n'a pas servi que pour Black ! Elle a été placée sur le dos de je ne sais plus combien de chevaux célèbres. Elle a environ mon âge. Ma première selle. Oui, la première. Quand j'ai commencé à gagner grâce à elle, j'aurais pu la vendre. Je n'avais pas besoin d'argent. J'ai repoussé toutes les propositions.

— Puisqu'elle porte chance, dit Alec, ce ne serait pas le moment de l'abandonner. »

Henry Dailey alla vers la porte :

« Tu vas la mettre sur le dos de la pouliche. J'aimerais voir comment Black Minx galope avec une selle comme celle-là.

— Et Black, qu'est-ce qu'on en fait ?

— Aujourd'hui, rien. Demain, entraînement. Il faut attendre que les choses se calment dans le secteur. »

Se retournant vers Alec, Henry Dailey ajouta :

« Mets ta casaque.

— Ma casaque ? Maintenant ?

— Oui. Moi, je vais seller la pouliche. »

Alec resta une minute stupéfait. Puis il tira du coffre sa casaque. Inutile de discuter avec Henry. Sur la piste, c'était lui le maître.

« Je verrai bien ce qu'il a derrière la tête », murmura Alec.

Quand il eut mis la casaque noire, il se demanda s'il devait en faire autant pour la culotte blanche, les bottes et la toque. Il opta pour l'affirmative.

« Après tout, murmura-t-il, c'est peut-être ce que désire Henry. Mais quelquefois il manque de précision ! »

Quand il fut prêt, il prit encore dans le coffre deux bandes de caoutchouc qu'il passa par-dessus les poignets de la casaque et de grosses lunettes qu'il fixa sur la visière de la toque. De sorte que, lorsqu'il quitta la sellerie, il était vêtu exactement comme pour une course.

Dehors, il s'arrêta, étonné de voir Wintertime près de la barrière de la piste. Son entraîneur, Donald Conover, le tenait par la bride, attendant d'être rejoint par un jockey qui s'avançait d'un pas rapide. Ce jockey, Alec le connaissait. Il s'agissait de Billy Watts. Et lui aussi portait bottes et toque, et était vêtu de sa casaque.

Alec rejoignit Henry qui achevait de seller Black Minx.

« Où voulez-vous en venir ? lui demanda-t-il.

— À te montrer comment je m'y prends pour entraîner notre pouliche.

— Wintertime participe à l'expérience ? »

Henry grogna un « oui ». Puis, prenant Black Minx par sa bride, il s'avança vers des bancs alignés devant les écuries et où plusieurs personnes semblaient attendre le spectacle. Là, il souleva son chapeau cabossé et salua Jane Parshall, avec ce sourire qu'il réservait aux femmes, surtout lorsqu'elles étaient jeunes et jolies. Alec resta à l'endroit où il se tenait. Mais il entendit la conversation.

« Miss Parshall, dit Henry, la bouche en cœur, je vous remercie d'avoir permis à votre cheval de participer à cet entraînement. »

Elle rit :

« Vous savez, Henry, quand Donald me demande mon accord, je le lui donne toujours. Cependant, entre nous, je ne comprends pas pourquoi il tient tant à aider une pouliche que nous avons bien l'intention de battre... »

Henry fit entendre une sorte de gloussement :

« Je suppose que Donald en veut pour son argent. Nous ne pourrions pas lui en donner si Black Minx n'était pas tout à fait en forme. Si elle s'entraînait seule, elle ne pourrait guère être dangereuse sur une distance comme celle du Preakness. »

Jane Parshall se leva de son banc, en faisant observer :

« Pourtant, elle était prête pour le Derby.

— J'ai eu de la chance et j'avais un bon jockey.

— Et une bonne pouliche ! s'exclama la jeune femme.

— La meilleure qui soit... quand elle accepte de courir ou quand je parviens à l'y contraindre.

— Elle aurait mauvais caractère ?

— Elle est plutôt imprévisible, dit Henry.

— Sans cela serait-elle une pouliche ?

— Vous savez, Miss Parshall, j'ai connu des poulains qui ne valaient guère mieux.

— Les chevaux sont comme les hommes, commenta Jane Parshall. Il faut les traiter de la même façon. »

Henry, affectant de mettre de l'ordre dans la crinière de Black Minx, répliqua à voix presque basse :

« C'est toujours à cela que je me suis efforcé. »

Alec alla jusqu'à Billy Watts. Ils étaient du même âge et de taille à peu près égale.

« Qu'est-ce qui se passe ? demanda Alec. On recommence le Derby ?

— Ça se pourrait, répondit Billy Watts. Je ne sais pas grand-chose. Mais on m'a fait équiper comme pour une course.

— Wintertime aussi », remarqua Alec.

Ils se retournèrent d'un même mouvement et examinèrent les œillères de cuir rouge que portait le poulain. L'une d'elles, la droite, était presque entièrement obturée. En effet, il avait eu une tendance à obliquer de ce côté. Billy Watts avait donc dû, dès qu'il l'avait monté, lui imposer ce moyen de rester en ligne. Wintertime ne portait des œillères que pour les courses. Il devinait sûrement, quand on les lui mettait, ce qu'on attendait de lui.

Alec demanda :

« Je vois que tu lui mets toujours un double mors ?

— Oui. Pour l'empêcher plus facilement de pencher. S'il n'avait pas fait ça dans la ligne d'arrivée du Derby, je gagnais !

— Erreur, Billy, répliqua Alec. Tu ne pouvais pas nous battre, Black Minx et moi. La pouliche était au mieux de sa forme.

— N'empêche que nous avons bien failli vous rattraper. Il s'en est fallu de moins d'une tête. »

Et, comme pour renforcer ses paroles, Billy Watts, d'un geste brusque, enfonça sa toque rouge jusqu'aux oreilles.

Alec se retourna vers Black Minx, et il l'examina comme il venait d'examiner Wintertime. Elle était musclée et très robuste, assez semblable en somme à son rival. Il nota enfin qu'elle regardait le poulain avec une expression et une insistance étranges...

« Ils se ressemblent vaguement, dit-il. Et il y a sûrement entre eux quelque chose... une sorte d'affinité, comme si leurs cœurs battaient à l'unisson. »

Mais Billy Watts parut ne pas avoir entendu. Il n'avait d'yeux que pour son cheval. Henry s'avança, tenant toujours Black Minx par la bride. Il demanda à Donald Conover :

« Alors, vous êtes prêts ?

— Depuis longtemps », répondit l'entraîneur en s'approchant à son tour.

Il ricana en regardant la selle de Black Minx :

« Cette selle, Henry, c'est une pièce de musée ? »

Henry bougonna :

« Occupez-vous de vos oignons. »

Et, s'adressant à Alec :

« Maintenant, les affaires sérieuses. Tâche d'obtenir de Black Minx tout ce qu'elle peut donner, sur mille deux cents mètres. Démarre à fond. Ne tire pas trop les rênes. Elle doit à peine sentir que tu la tiens. »

Donald Conover avait écouté. Il approuva Henry d'un signe de tête, puis il dit à Billy Watts, qui avait déjà sauté sur Wintertime :

« Fais la même chose. Sauf que tu prendras la tête tout de suite et que tu t'y tiendras. Si tu le juges nécessaire, utilise la cravache. »

La pouliche avait-elle compris ? Elle frémissait, grattait le sol et tirait sur la bride pour se libérer d'Henry. Il la conduisit à la piste dans le sillage de Wintertime. Au loin, quatre chevaux à l'entraînement s'apprêtaient à utiliser les stalles de départ. Black Minx se planta sur ses sabots et s'arrêta, les oreilles dressées. Peut-être croyait-elle que tout allait recommencer, qu'elle allait se retrouver avec Wintertime, dans les derniers mètres de la course, comme le jour du Derby.

Chapitre 5

« Non, Black Minx, pas ça ! »

Henry détacha la bride et Alec relâcha ses rênes. Black Minx secoua la tête, puis s'élança.

« Doucement, dit Alec. Nous ne sommes pas tellement pressés. »

Brusquement, elle fit un écart, tenta de désarçonner son cavalier. Mais, au lieu de résister au mouvement, il l'accompagna avec souplesse. Doigts et genoux fermes, il résista à cette violente secousse et redressa sa monture. Il ne lui déplaisait pas qu'elle tentât de se débarrasser de lui. Cela vous remettait l'estomac en place, disait Henry. Maintenant, Alec pouvait penser à la situation : un simple entraînement, mais délicat du fait qu'Henry voulait que la pouliche le considérât comme une vraie course. C'était ce genre d'astuce qui avait fait de lui un des plus habiles connaisseurs en matière de jeunes chevaux.

Trompée par la mise en scène, Black Minx donnait avec fougue dans le panneau. C'était exactement ce qu'Henry avait voulu. Ce matin-là, on

pouvait être certain qu'elle allait s'employer généreusement.

Là-bas, les quatre chevaux jaillirent soudain des
stalles de départ. Ils s'élancèrent dans un roulement
de tonnerre tandis que leurs jockeys poussaient des
cris, et jouaient de la cravache. Black Minx fit un
nouvel écart, mais ses yeux noirs demeuraient atta-
chés au poulain alezan clair, aux œillères rouges,
qui galopait devant elle.

Alec serra plus fortement les genoux et accompagna le mouvement de la pouliche. Puis, sentant que
Black Minx essayait de prendre le mors aux dents,
il l'en empêcha.

« Non, Black Minx, pas ça ! » ordonna-t-il.

Après quoi, il se dressa sur ses étriers. Billy
Watts se retourna. Son visage n'était plus rond et
presque enfantin, mais sombre, concentré, exactement comme le jour du Kentucky Derby. Alec
n'échangea qu'un coup d'œil avec lui. Puis il se
coucha contre l'encolure de la pouliche. Encore une
fois, elle voulut prendre le mors aux dents.

« Tout à l'heure, lui dit-il en la retenant. Il y a un
temps pour tout. »

Wintertime et Black Minx arrivaient près des
stalles de départ.

Un starter et ses aides les attendaient, sans cacher
leur impatience. Ils ne pouvaient cependant s'empêcher de regarder avec admiration cette pouliche et
ce poulain héros du dernier Kentucky Derby. Du
haut de sa plate-forme, le starter demanda :

« De quoi s'agit-il ? D'une petite promenade
avant le mariage ? »

Les aides éclatèrent de rire. L'un d'eux expliqua :

« Ça serait plutôt un Derby bis ! »

— Ou le prologue du Preakness ! » dit un autre.

Billy Watts et Alec gardèrent le silence. Alec attendit que Wintertime eût pris place dans une stalle. Après quoi, il fit pénétrer Black Minx dans la stalle située à droite de celle du poulain. Elle eut du mal à se loger dans cet espace étroit. Il est vrai qu'elle y mettait quelque mauvaise grâce. Il fallut l'intervention de deux aides pour l'empêcher de se blesser contre les parois.

Au bout de quelques minutes, tout se calma. Alec poussa un soupir de soulagement. Les deux chevaux étaient déjà ruisselants de sueur. Du coin de l'œil, Alec constata que la tribune principale était aussi déserte que la piste. « Pourtant, songeait-il, ce n'est pas un entraînement banal. C'est presque une course entre ma pouliche et Wintertime. » Il détendit ses rênes et permit à Black Minx de prendre son mors.

« Comme ça, murmura-t-il, tu vas pouvoir t'en donner à cœur joie. Mais ne crois pas que tu en feras entièrement à ta guise. Dès qu'il le faudra, je saurai bien te reprendre. »

La cloche tinta. Les portes s'ouvrirent, libérant les deux rivaux.

Ils s'élancèrent ensemble, côte à côte. Ils galopaient de la même façon, et leurs jockeys avaient à peu près la même monte. Dès l'entrée de la longue ligne droite qui s'étendait devant eux, Black Minx et Wintertime accélérèrent. La pouliche semblait vouloir profiter de toute la puissance de ses muscles. À chaque foulée, elle se détendait entièrement, comme un oiseau en vol. Son encolure était presque à l'horizontale. Ses mâchoires se crispaient sur le mors. La tête à œillères rouges se balançait au même rythme que la sienne.

Une acclamation — à vrai dire peu nourrie — éclata soudain dans la tribune principale. Plusieurs employés en blouses blanches, chargés du nettoyage des tribunes, avaient arrêté leur travail pour observer cette épreuve à deux qui semblait leur être réservée.

Ils constatèrent que le jockey à casaque et toque rouges brandissait fréquemment sa cravache, sans frapper sa monture. Stimulé, le poulain fonça. Mais Black Minx n'entendait pas rester à la traîne. Dans un rageur et vigoureux effort, elle rejoignit son concurrent et le dépassa. Après cela, elle creusa entre elle et lui un écart toujours plus grand.

Elle voulait gagner, cela sautait aux yeux. Elle paraissait aussi avoir conscience de la lutte qu'elle allait devoir livrer, centimètre par centimètre. Maintenant, tête levée, ses petites oreilles pointées en avant et sa queue flottant derrière elle, elle galopait avec une énergie soutenue.

Il ne lui restait plus que deux cents mètres à couvrir avant la ligne d'arrivée, lorsque, tout à coup, comme si elle avait capté un bruit insolite, elle tourna ses oreilles vers la droite. Puis, dans un même mouvement, elle balaya du regard la tribune principale. Peu après, elle ralentit. L'occasion était trop belle ! Wintertime dépassa la pouliche, tandis que celle-ci terminait le parcours, ralentie, presque au petit galop.

Un peu plus d'une heure s'était écoulée, quand Alec revint sur le lieu de l'incident. Cette fois, il tenait Black par la bride. L'étalon noir refaisait exactement ce qu'avait fait Black Minx : fréquemment, il se tournait vers la tribune et, de ses larges yeux noirs, il la scrutait.

« C'est ici que Black Minx a lâché, dit tout bas Alec. Henry assure qu'elle était déçue de ne pas découvrir de spectateurs. Il regrette de ne pas y avoir pensé plus tôt. »

Le vieil entraîneur avait expliqué à Alec :

« À la façon dont elle s'est comportée ce matin, je ne suis plus convaincu que la casaque suffise à la tromper. Mais je n'abandonne pas. La prochaine fois, je la ferai s'entraîner entre deux courses. Comme ça, elle aura sa ration d'acclamations et d'applaudissements. »

Black s'arrêta en apercevant un tracteur qui, traînant une herse, roulait dans le premier tournant. Comme il avait pu observer souvent des tracteurs et des herses au ranch de l'Espoir, ce spectacle ne l'intéressa qu'une minute.

Il se retourna vers la tribune principale, dont les loges et les sièges avaient été récemment repeints en jaune et en noir. Dans l'après-midi, la plupart de ces sièges seraient occupés. Mais le jour du Preakness, ce serait bien autre chose ! Il n'y aurait pas une place libre. Et, dans la majestueuse tribune principale, la fièvre ne cesserait de monter. Qui gagnerait ? Black Minx, la pouliche noire ? Wintertime, l'alezan aux œillères rouges ? Ou bien... Black Minx sûrement... car elle serait stimulée par des rafales d'applaudissements, par les cris de milliers et de milliers de spectateurs en délire, quand elle apparaîtrait — toute seule — dans la dernière ligne droite !

Black voulait marcher. Il tirait sur la bride. Alec ne le retint pas. Et il continua, à haute voix cette fois... avec un peu moins d'assurance :

« Si elle marche dans le Preakness comme elle a

marché ce matin, du moins au début de l'entraînement, nous aurons probablement des raisons d'être tous fiers d'elle, Henry, moi et toi aussi, Black. Mais comment être certain ? Dans le Kentucky Derby, n'importe quoi peut arriver. Ensuite, le gagnant du Kentucky trouve souvent sur son chemin un « os », comme dirait Henry, un « os » qui l'empêche d'arracher le Preakness et le Belmont. Donc, pas de Triple Couronne ! »

Cet « os », Alec et Henry le découvrirent quelques heures plus tard, sur l'écran de télévision d'un magasin, au voisinage de l'hippodrome. Ils assistèrent au Withers Mile, une épreuve réservée aux trois ans qui se courait à New York. Ils virent un cheval nommé Éclipse, brun, d'un modèle important qu'ils connaissaient déjà, surgir d'un peloton serré et parcourir la dernière ligne droite en établissant un nouveau record du monde.

Avant de sortir du magasin, Henry et Alec savaient qu'Éclipse venait de gravir le plus haut échelon et qu'il donnerait du fil à retordre à tous ses adversaires, y compris Black Minx dans sa meilleure forme.

Chapitre 6

Éclipse ! Éclipse !

Il y eut, après la tombée de la nuit, une sorte de conciliabule dans la sellerie, à deux pas du box de Black. Cette réunion improvisée comprenait des entraîneurs, dont naturellement Henry Dailey, des garçons de voyage, quelques jockeys et des lads. Tout le monde était inquiet. Un seul sujet : la victoire (assortie d'un record) qu'Éclipse avait remportée ce jour même dans le Withers Mile. Les entraîneurs surtout se posaient une question angoissante : avaient-ils intérêt à aligner leurs chevaux contre ce poulain tardif qui, hier encore, s'était contenté d'une modeste troisième place dans le Kentucky Derby (derrière Black Minx et Wintertime) et qui, brusquement, venait de se hisser au rang des plus grands cracks ? Donald Conover prétendait qu'il ne suffit pas d'une victoire pour qu'un cheval devienne définitivement « grand ». Les garçons de voyage et les lads, gens d'expérience, n'étaient pas les moins bavards. Ils essayaient, avec toute espèce d'arguments, de rassurer les entraîneurs. Henry, contrairement à son habitude, parlait peu. Enfin, il se leva du coffre sur lequel il était assis et rompit le silence :

« Ce qui compte, c'est non seulement qu'Éclipse ait gagné haut la main, mais qu'il ait battu un record que Citation avait établi à l'âge de cinq ans sur une piste rapide de Californie !

— C'est impressionnant, en effet, déclara Alec. Mais, ce record, il y a de sérieuses chances pour qu'il soit battu de nouveau.

— Sans doute par une bonne petite pouliche ? » suggéra un lad, d'un air rusé.

Un entraîneur était adossé contre la porte du box de l'étalon noir.

« Black Minx, dit-il, ne battra aucun record si elle "met les freins" comme elle l'a fait ce matin. Elle n'aura pas la moindre chance de battre Éclipse. »

Henry s'éloigna, puis revint sur ses pas :

« Elle ne nous trahira pas, affirma-t-il. Que personne ne s'inquiète à ce sujet. »

L'entraîneur éclata de rire :

« Oh ! je ne m'inquiète pas ! Oublieriez-vous, Henry, que j'ai engagé un poulain dans le Preakness ? Une défaillance de Black Minx m'arrangerait plutôt... de préférence au début de la course. »

Un autre entraîneur, qui n'avait pas parlé jusque-là, intervint :

« Pour changer un peu de sujet, vous devriez, Henry, nous parler de ce poulain que vous aviez acheté pour une bouchée de pain parce que personne n'en voulait. »

Henry Dailey le regarda, les sourcils froncés :

« Quel poulain ?

— Vous savez bien, ce gris que vous aviez à

Aqueduct. Tout de suite, vous avez arrêté de le faire courir. Les bruits venant des tribunes lui faisaient peur.

— Je me souviens maintenant. Il était tout le contraire de Black Minx.

— Finalement vous l'avez fait gagner... en lui bouchant les oreilles avec je ne sais quoi. »

Henry ne put s'empêcher de sourire :

« C'est ma foi vrai.

— Racontez-nous cette histoire, Henry.

— Je l'ai racontée dix fois, répliqua Henry Dailey en s'éloignant de nouveau.

— Où allez-vous ? lui demanda Alec.

— Me coucher. Nous n'allons pas rester comme ça à bavarder jusqu'à l'aube ? Les discussions de ce genre, il n'en sort jamais rien et les problèmes restent entiers. »

Donald Conover lui cria :

« Vous finirez par avoir l'air d'un cheval, à coucher dans votre van ! Pourquoi ne louez-vous pas une chambre ? Il en reste une chez ma logeuse. »

Henry s'arrêta un instant, et, se retournant :

« J'y penserai, Donald, maintenant qu'Alec est ici et peut surveiller l'écurie.

— Comptez sur moi, dit Alec. Rien ne vous empêche d'aller louer cette chambre dès ce soir.

— Non. Demain, peut-être...

— Je le croirai quand je vous verrai entre deux draps », conclut Donald Conover.

Henry Dailey sortit de l'écurie en traînant les pieds. Mais, avant de se diriger vers le petit van noir et blanc du ranch de l'Espoir, il eut encore le temps de jeter à ses amis :

« Réflexion faite, je n'irai jamais coucher dans

une chambre. D'ailleurs, à quoi bon ? Je suis si bien dans notre van. »

L'un des garçons de voyage, qui était assis sur un seau retourné, dit entre ses dents, avec un gloussement narquois :

« Cause toujours, mon bonhomme ! Tu ne dis pas ce que tu penses. Tu as surtout hâte d'être à Belmont ! »

Personne ne fit le moindre commentaire. En réalité, tous les hommes présents dans l'écurie partageaient l'impatience d'Henry Dailey. Ils auraient voulu se trouver déjà dans l'atmosphère du célèbre hippodrome. Mais, auparavant, ils avaient à préparer et à courir le Preakness, une fameuse épreuve tout de même, où l'on pouvait gagner plus de cent mille dollars !

*
* *

Tôt le lendemain, Alec emmena Black Minx brouter. C'était dimanche. La piste de Pimlico aurait été déserte et silencieuse si plusieurs chevaux, au pâturage eux aussi, n'avaient fait entendre de temps à autre des hennissements auxquels s'ajoutaient les appels échangés par leurs lads.

Comme pour bien d'autres choses, Black Minx était très délicate sur sa nourriture. Elle ne mangeait pas n'importe quelle herbe. Elle allait donc çà et là, arrachait quelques brins, les goûtait. Puis elle s'éloignait, toujours à la recherche d'une touffe plus conforme à ses goûts. Ainsi, de déplacement en déplacement, Alec se trouva plus près qu'il ne le souhaitait des autres chevaux.

« Ça suffit », dit-il en donnant un coup sec sur la longe.

Obéissante, Black Minx s'arrêta. Mais elle cessa de brouter. Elle dressa la tête et regarda au loin, sans accorder aux chevaux le moindre signe d'intérêt.

Puis, soudain, elle tira violemment sur la longe. Alec tint bon. Alors, elle se remit à brouter. Un moment après, Alec remarqua qu'elle luisait de sueur. Il prit dans sa poche un grand foulard de soie et s'en servit pour essuyer la robe noire de la pouliche. Celle-ci semblait aimer le contact de la soie. En tout cas, Alec savait que c'était un bon moyen de la calmer.

« Elle est aussi nerveuse que Black, pensait-il. Dès qu'on lui refuse quelque chose, elle manifeste son mécontentement. Il en est souvent ainsi avec les chevaux de course. Pourtant, Éclipse serait plutôt, dit-on, du genre passif. »

Il se souvenait de l'avoir vu — sur le petit écran — galoper sous un soleil de plomb, puis s'arrêter sans une trace de sueur et aussi sans le moindre halètement. Un grand cheval ? Était-ce bien sûr ? Il venait d'accomplir un exploit. Mais de là à le comparer à Citation et même à Black ! Enfin, on verrait bientôt... dans le Preakness...

Tout à coup, Black Minx recommença à tirer sur la longe, redressa la tête et pointa ses oreilles. La sueur, de nouveau, l'inondait. Ses yeux brillaient.

Puis elle rua à plusieurs reprises. Ses durs sabots s'obstinaient à frapper dans le vide.

Alec se glissa jusqu'à sa tête, en raccourcissant la longe. Les autres chevaux, auxquels Wintertime venait juste de se joindre, n'avaient pas cessé de brouter.

« Rentrons », dit Alec. Sans trop de difficulté, elle le suivit. Mais elle continuait à ruer presque à chaque pas. Jusqu'à l'écurie, Alec la surveilla. Surtout, il examinait ses yeux. Il aurait voulu la comprendre.

Henry, tenant sa vieille selle à deux mains, les attendait.

« Maintenant, dit-il à Alec, au travail. Va chercher Black. »

Cinq minutes ne s'étaient pas écoulées qu'Alec s'était hissé sur l'étalon noir et attendait Henry et Napoléon. Black demeurait rigoureusement immobile. Cependant, Alec sentait monter, du corps de l'animal au sien, ce frémissement intense et léger à la fois qui lui était familier. Bientôt, Henry, sur le dos de Napoléon, le vieux hongre gris, sortit de l'écurie.

Black fit un brusque écart et heurta Napoléon. Henry grommela quelques mots incompréhensibles et poussa Napoléon jusqu'à ce qu'il eût dépassé l'étalon noir. Puis il prit la direction de la piste.

Il n'avait qu'un projet bien modeste : faire galoper Black, sans le moindre souci de rapidité. Mais la nouvelle avait dû se répandre. Des journalistes, avides de voir le grand crack, formaient un groupe compact à l'entrée de la piste. Quelques photographes s'étant un peu trop approchés, Napoléon leur présenta sa croupe et leur décocha une ruade d'avertissement. Black, lui aussi, présenta sa croupe aux intrus. Cependant, il ne rua pas. Puis Alec le remit en ligne. Effrayés, les photographes se tinrent dorénavant à distance respectueuse.

« Napoléon a l'air féroce comme un tigre, dit Alec.

— N'oublie pas qu'il est le protecteur attitré de Black », répliqua Henry sans l'ombre d'un sourire.

Lorsqu'ils furent sur la piste, Henry ajouta :

« Sois prudent avec Black. Je ne sais pas au juste pourquoi, mais il m'a l'air capable ce matin, si tu n'y prends garde, de se débarrasser de toi comme d'un fétu. Surtout, attention au démarrage. Tiens-le bon. Tu le forceras à rester au petit galop sur mille six cents mètres. Il fera tout pour t'échapper. Alors, prudence. Maintenant, vas-y ! »

Pour la deuxième fois, l'étalon noir heurta Napoléon de toute sa masse. Celui-ci résista bien au choc et se contenta de pousser un petit hennissement de protestation.

Alec remit de nouveau Black en ligne et démarra, dans un bond vigoureux de sa monture. Tout de suite, il se souvint des consignes qu'Henry venait de lui donner. Il raccourcit ses rênes en disant de cette voix amicale et ferme que l'étalon noir connaissait bien :

« Doucement, toi, doucement. Un petit galop régulier. C'est tout ce qu'on te demande. Le grand galop, le vrai, celui où tu vas comme la foudre, ce n'est pas pour aujourd'hui. Pour demain peut-être, ou pour après-demain. »

À contrecœur, Black ralentit. Ses oreilles nerveuses captaient chaque syllabe prononcée par Alec. À partir de ce moment, il garda la même allure. Immobile sur sa selle, Alec murmurait : « Deux cents mètres », chaque fois qu'un poteau était dépassé. L'étalon noir prit le dernier tournant presque en douceur. Mais, dès qu'il eut abordé l'ultime ligne droite, il s'anima, fit mine de foncer vers la ligne d'arrivée. Alec dut le freiner. En même temps, il pensait : « Pourquoi la pouliche ne montre-t-elle pas la même ardeur ? Si elle était aussi ardente que son père, nous n'aurions rien à craindre d'Éclipse dans le Preakness. Hélas ! elle préfère quelquefois s'amuser en route ou bouder. »

Mais le lendemain, pendant un assez long arrêt entre les troisième et quatrième courses, Black Minx prouva à Alec combien il se trompait. Elle se montra aussi rapide que Black et aussi heureuse que lui de courir. Elle était sans doute stimulée par le bruyant orchestre de vingt-cinq musiciens et par les milliers de spectateurs qui hurlaient et firent brusquement silence quand le speaker prononça dans son micro cette simple phrase :

« Vous venez de revoir la gagnante du récent Kentucky Derby, la pouliche sans doute la plus rapide de notre époque... »

Lorsque la foule apprit qu'elle venait, en se jouant, de battre le record des mille huit cents mètres, ce ne fut qu'un cri dans les tribunes :

« Black Minx contre Éclipse ! Black Minx contre Éclipse ! »

*
* *

Alec venait d'arriver à la porte de l'écurie et n'avait pas encore mis pied à terre, quand Henry lui dit :

« Elle est fin prête pour le Preakness. Elle adore la foule. Elle sera servie ! »

Soudain, sans prévenir, elle hennit et rua à plusieurs reprises. Henry ne se mit pas en colère. Au contraire, il sourit :

« Il ne faudra jamais la tenir trop court. Elle a

besoin de se sentir un peu libre. Oui, c'est cela : laisse-la jouer si elle en a envie. »

Black Minx dressa la tête, humant le vent, et elle entraîna Alec. Elle roulait des yeux plus brillants que jamais. Tout à coup, elle s'arrêta, plantée sur ses jambes raidies.

Alors, Alec aperçut Wintertime qu'on emmenait en promenade, à une centaine de mètres. La pouliche le regardait fixement. Puis, une fois encore, elle rua avec violence.

« Je ne sais vraiment pas, lui dit Alec, ce que tu peux avoir contre Wintertime. Attends au moins samedi. Ce jour-là, si tu en as encore envie, tu pourras le corriger de première ! »

La pouliche s'ébroua.

Chapitre 7

Le Preakness

« Mesdames et messieurs, annonça le speaker d'un ton grave, les concurrents entrent en piste pour disputer le Preakness. »

Dans les tribunes, tous les bruits cessèrent et firent place à un silence déférent. Ce silence fut bientôt rompu par l'orchestre. Tous les musiciens étaient vêtus d'un uniforme rouge. Ils commencèrent à jouer un hymne à la gloire de l'État du Maryland, que les spectateurs accompagnaient en sourdine. On aurait dit qu'ils avaient la gorge serrée en regardant les concurrents sortir en file indienne par la porte du paddock.

« Black Minx va-t-elle renouveler son triomphe du Derby ? continuait le speaker. À moins que la victoire ne lui soit ravie par Éclipse... Mais n'oubliez pas Golden Vanity... et Wintertime ! N'est-il pas raisonnable de tenir compte de Silver Jet et d'Olympus ? Enfin, mettons l'accent sur Lone Hope et Rampart qui ont un faible pour les terrains collants... »

Les concurrents se livrèrent à la parade habituelle. Après être allés jusqu'à la maison du Club hippique, ils revinrent au petit galop vers la tribune principale. L'orchestre s'arrêta. Dans les tribunes et sur la pelouse, les langues se délièrent. Certains spectateurs ne juraient que par Wintertime. D'autres prétendaient qu'il n'y avait sur la piste qu'un seul crack de valeur, Éclipse :

« C'est lui qui gagnera ! Il n'a pas de rival aujourd'hui sur tout le territoire des États-Unis ! »

Les micros grésillèrent et, de nouveau, la voix du speaker :

« Mesdames et messieurs, les concurrents sont maintenant sous les ordres du starter. »

Alec, suivi d'Henry sur Napoléon, alla se placer derrière les stalles de départ.

« Ne sois pas nerveux, lui dit le vieil entraîneur. Il a beaucoup plu, bien sûr. La piste n'est pas fameuse. Mais Black Minx ne déteste pas un terrain lourd. C'est Éclipse qui va être embêté. Il n'aime pas la boue... Pour le reste... »

Il donna quelques conseils à Alec. Puis il conclut :

« Inutile de t'en dire plus. Tu sais parfaitement ce que tu dois faire. La pouliche est au point. Donc, tout ira bien. »

La pluie s'était arrêtée depuis une bonne heure. Le soleil brillait entre les nuages. Mais cela ne changeait rien à l'état de la piste : elle était profonde et collante. Alec fut tiré de ses réflexions en entendant la voix du starter :

« Allons, Ramsay, préparez-vous ! »

Il rassembla ses rênes et constata que plusieurs autres chevaux prenaient place dans les stalles. Golden Vanity, champion californien qui n'avait lâché qu'au cours des derniers deux cents mètres dans le Derby, occupait déjà le numéro un. Brusquement, Black Minx, très calme jusque-là et surtout occupée à observer les tribunes envahies de spectateurs, se mit à danser sur place, puis faillit échapper à Alec en fonçant vers la stalle où Billy Watts, aidé d'un assistant du starter, s'apprêtait à faire entrer Wintertime. Alec l'arrêta à temps. L'assistant, dès qu'il eut fermé la porte, se retourna, saisit la pouliche par la bride et la conduisit devant la stalle numéro cinq.

Alec, sentant qu'elle tremblait, lui caressa l'encolure, lui parla. Mais il ne parvenait pas à comprendre son hostilité envers Wintertime. Il ne voyait qu'une explication : l'humiliation qu'il lui avait infligée lorsqu'ils s'étaient entraînés ensemble. Cependant, elle était la seule responsable, puisqu'elle s'était arrêtée net en plein entraînement et avait laissé filer son adversaire, comme s'il n'existait pas... L'affaire demeurait donc incompréhensible. Au reste, Alec avait autre chose à faire que d'essayer de percer ce petit mystère. Silver Jet venait en effet de lancer une ruade. Il se dérobait, refusait d'obéir à l'aide starter. Et il se rapprochait dangereusement de la pouliche. L'homme parvint pourtant à raccourcir la bride et, par la douceur, réussit à le faire entrer dans la stalle numéro deux.

Golden Vanity et Silver Jet se trouvaient ainsi côte à côte. Reproduiraient-ils leur performance du Derby, en somme assez impressionnante ? Alec se posait la question. Wintertime, dont chaque muscle tressaillait, pénétra dans la stalle numéro trois. Black Minx, avec un soudain hennissement qui ouvrait au maximum ses naseaux, ne l'avait pas quitté du regard.

L'assistant qui la tenait lui dit d'un ton bon enfant :

« Alors, mignonne, on ne veut pas être sage ? On ne se conduit pas comme ça, quand on a gagné le Derby ! »

Il essaya de la rapprocher de la stalle numéro cinq. Elle refusa de bouger.

« Accordez-lui encore une minute, conseilla Alec. Elle n'aime pas qu'on la brusque.

— C'est que le temps presse, déclara l'homme. Dans une minute, c'est le départ. Je lui donne encore cinq secondes. »

Éclipse, trapu dans sa robe brune, se glissa dans la stalle numéro quatre aussi docilement que si un picotin d'avoine l'y attendait. Puis il resta immobile, tête basse, à tel point qu'on ne voyait que ses oreilles et le haut de son chanfrein blanc. Ce n'était pas un cheval froid, loin de là. Pourtant, contrairement à la robe des autres concurrents, y compris celle de Black Minx, la sienne ne portait pas une traînée de sueur.

Soudain, au moment propice sans doute, l'assistant remit Black Minx en marche. Elle entra dans la stalle et ne broncha pas quand on ferma la porte derrière elle. Elle devinait peut-être que le moment de plaisanter était passé.

Alec se tourna à gauche et constata que le jockey d'Éclipse, Ted Robinson, l'observait.

« Tu sembles avoir grandi, lui dit Alec.

— C'est drôle, répondit Robinson en souriant. J'ai la même impression chaque fois que je monte Éclipse.

— Aujourd'hui, reprit Alec, nous allons lui

rendre sa taille normale, c'est-à-dire le remettre à sa vraie place.

— Jamais de la vie ! répliqua Robinson, avec sécheresse. Ça fait déjà longtemps que je le monte. Il n'a jamais été en meilleure forme. »

Alec garda le silence. Il savait que Robinson avait une expérience plus longue que la sienne. S'il disait vrai, ce ne serait pas une petite affaire que de vaincre Éclipse !

À droite d'Alec, dans la stalle numéro six, on fit entrer Olympus. Il ne restait que Lone Hope et Rampart. Très calmes, mais avec dignité, ils occupèrent les deux dernières stalles.

Dès ce moment, Alec n'eut d'yeux que pour la piste : mauvaise, boueuse, particulièrement glissante. Black Minx en tirerait sans doute quelques avantages. Mais, par terrain plus sec, n'aurait-elle pas donné plus sûrement sa mesure ? « Dommage, pensa Alec, que la direction de Pimlico ne prenne pas plus soin de cette piste. Il faudrait y répandre beaucoup de sable... »

Dans les stalles, les chevaux s'impatientaient. Golden Vanity rua et déséquilibra son jockey, Nino Nella. Olympus heurta une paroi capitonnée. Black Minx redevenait nerveuse. Seul, Éclipse, tête dressée, attendait sans bouger.

Alex remarqua encore que la piste était assez sombre. Déjà le soir tombait. Dans les tribunes et le long des barrières, les spectateurs gardaient un silence absolu. Ils semblaient retenir leur souffle.

Les yeux toujours fixés droit devant lui, Alec cherchait sur la piste un endroit qui lui serait favorable. Peut-être là-bas, le long de la barrière... En général, les jockeys estimaient que la boue devait y être plus profonde. Mais ils pouvaient se tromper. Dans ce cas...

À trop réfléchir, Alec faillit manquer le départ. Mais, averti par son instinct, il s'était déjà ressaisi quand la cloche tinta et que les portes des stalles s'ouvrirent.

Le Preakness était lancé !

Chapitre 8

Tête contre tête

Black Minx essaya de prendre le mors entre ses dents. Alec l'en empêcha. Il voulait pouvoir l'aider si elle glissait avant d'avoir trouvé la bonne cadence. À quelques mètres de sa stalle elle vacilla dans une flaque, mais se redressa d'elle-même. Sur leur gauche, Éclipse patina comme sur de la glace et faillit perdre le contrôle de ses jambes. La pouliche, prudente, s'écarta de lui. L'eau noirâtre jaillissait de tous côtés.

« Ne te presse pas trop, murmura Alec. Prends ton temps. »

À ce moment, la boue, qui l'avait jusque-là épargné, noya ses lunettes, le rendant presque aveugle. À qui devait-il ce cadeau ? À Olympus, qui pataugeait à son côté avec fureur ! Alec poussa un cri vengeur à l'intention du jockey. Puis il rétablit son assiette juste à l'instant où Black Minx bondissait en avant. Familiarisée enfin avec ce sol semé de pièges, elle dépassa nettement Olympus. Mais la boue continuait de les asperger et, cette fois, elle provenait de devant eux.

Les coupables étaient Rampart et Lone Hope. Alec voyait vaguement leurs croupes et leurs sabots. Ils s'étaient rabattus et avaient réussi à prendre la tête du peloton. Et ils fonçaient comme s'ils n'avaient pas eu encore mille six cents mètres à couvrir. Wintertime les talonnait. Quant à Golden Vanity et Silver Jet, ils se tenaient à gauche de Black Minx, presque à sa hauteur. Alec jugea que, étant donné l'état du terrain, les deux leaders étaient capables de trouver leur salut dans la fuite et pouvaient causer une légère surprise.

La foule poussa tout à coup un rugissement. Alec se demanda si Éclipse n'avait pas eu un accident. Quelques secondes auparavant, le robuste cheval que montait Robinson semblait avoir de sérieuses difficultés !

Black Minx essayait de se défendre contre la boue qui lui sautait aux yeux. Pour s'en débarrasser, elle secouait la tête. Alec la fit obliquer un peu vers la droite, vers ceux des concurrents qui formaient le peloton de tête. À l'instant où l'on passait devant le Club hippique, il remarqua que, dans l'ensemble, les jockeys s'efforçaient de se tenir à distance de la corde. Lui restait décidé à y conduire Black Minx. Mais il voulait choisir son moment : « Trop tôt, se répétait-il, trop tôt. »

Le peloton s'éparpillait. Toutefois les positions demeuraient les mêmes. On aurait pu penser que chacun essayait d'économiser sa monture, tout au moins sur la première ligne droite. Puis, après le tournant, ce serait la ruée vers le poteau d'arrivée. Alec était persuadé qu'après l'effort initial dans ce marécage, bien des chevaux seraient sans ressources avant la fin de la course.

Quand s'amorça le tournant, Alec laissa la pouliche se rabattre un peu vers la corde, prêt, le tournant franchi, à l'étendre le long du « rail ».

Golden Vanity et Silver Jet galopaient juste derrière les deux leaders. Leurs jockeys semblaient attendre eux aussi un moment favorable.

Wintertime se maintenait un peu en retrait et à droite des deux échappés. La pouliche galopait de façon régulière, visiblement sans puiser dans ses réserves. Elle était en excellente position pour prendre la tête quand il le voudrait, et sans trop de difficultés. Il jugea que Wintertime serait le concurrent à battre, si Éclipse était hors d'affaire. Mais avait-il été vraiment victime d'une chute ?

Dans le tournant, il poussa encore un peu plus Black Minx vers la corde. Elle donnait l'impression d'avoir pleine confiance en elle-même.

À l'entrée de la dernière ligne droite, les leaders accélérèrent. Alec les imita, sans les dépasser : le moment n'était pas encore venu. Il tendit l'oreille aux bruits mous que produisaient les sabots derrière lui. Il savait ce qu'il y avait devant. Mais il ignorait ce qui se passait dans son dos. Et cela l'irrita. Il se méfiait : un cheval pouvait surgir à son côté et ruiner ses projets. Il lui semblait entendre Éclipse et Olympus se rapprocher. Mais où étaient-ils exactement ? Leur position était difficile à déterminer, puisque, pour lui, il ne pouvait être question de se retourner tout à fait, même une fraction de seconde. Bien des courses avaient été perdues par cette banale imprudence. Il se colla contre l'encolure de la pouliche et lui dit :

« Tu brûles de courir, je le sens bien. Regarde là-bas, là-bas. C'est le Preakness ! Il est à notre por-

tée. Maintenant, tu peux prendre le mors entre tes dents. Et allons-y à fond. »

En même temps, il la maintenait le long de la corde.

Il vit Wintertime se faufiler entre les deux leaders et prendre la tête. Puis, dans le sillage de Wintertime, ce fut Golden Vanity que son jockey Nino Nella sollicitait à coups de cravache. Ensuite apparut Silver Jet. Pour lui faire donner toute sa puissance, son jockey le poussait vigoureusement des bras.

Quant à Lone Hope et Rampart, écœurés, ils baissaient de pied. Il ne restait plus à Alec qu'à se soucier de sa pouliche. À la corde, elle avait abordé un terrain nouveau, moins profond. Ce changement pouvait la faire trébucher. Il fallait donc lui accorder une attention sans relâche.

Mais elle savait ce qu'on attendait d'elle. Sur ce sol presque sec, elle démarra comme la foudre. Elle planta là Rampart et Lone Hope. Leurs jockeys en parurent stupéfaits.

Ensuite, comme en se jouant, Black Minx rejoignit Silver Jet et Golden Vanity, et elle les dépassa dans un vol d'hirondelle plutôt que dans un galop de cheval. Alec, les mains très basses, les rênes presque détendues, la laissait faire. Devant eux, à deux longueurs, il n'y avait plus que Wintertime. Il se maintenait assez à l'écart de la corde. Billy Watts n'utilisa qu'une seule fois sa cravache pour inciter son poulain à se rapprocher de la corde. Celui-ci obéit, puis reprit sa course, en essayant toutefois de retourner vers le centre de la piste.

Alec remarqua que les oreilles de Black Minx tressaillaient de plus en plus à mesure qu'elle se rapprochait de Wintertime. Pour la rappeler à l'ordre, il donna un coup sec sur le mors. Ce n'était pas le moment d'avoir un ennui, alors que la victoire semblait à portée de main !

Soudain une acclamation s'éleva des tribunes. Alec n'en avait jamais entendu de plus violente. À cette seconde précise, Black Minx rejoignit Wintertime. Alec crut que l'explosion d'enthousiasme était destinée à la pouliche.

« Continue, lui souffla-t-il à l'oreille. C'est pour toi qu'ils crient. Tu aimes ça, n'est-ce pas ? Écoute bien. »

Elle ne broncha pas. D'abord, Alec pensa que cette inertie était due au fait que Wintertime, stimulé de main de maître par Billy Watts, avait redémarré de plus belle. Mais il n'en était rien. Billy Watts avait beau se démener, que pouvait-il encore tirer d'un cheval qui donnait des signes évidents de fatigue ?

À son tour, Alec commença de multiplier les efforts pour rendre à Black Minx son mordant, comme il l'avait fait sur la fin du Kentucky Derby. Ce jour-là, elle avait généreusement répondu. Maintenant, elle refusait tout, alors que ses ressources paraissaient intactes. Golden Vanity la dépassa comme une ombre légère et devint le seul leader du peloton. Quand à Black Minx, elle se contentait de galoper tête contre tête avec Wintertime ! Elle paraissait bien décidée à ne pas le lâcher. Le poulain et la pouliche couvrirent ainsi les derniers deux cents mètres à la même allure, comme des êtres vivants qui refusent toute séparation, tandis que Golden Vanity les précédait d'une bonne longueur. Cependant, quatrième larron, Éclipse surgit soudain en trombe ! Il gagna de plusieurs longueurs, devant Golden Vanity, et devant Wintertime et Black Minx — ces singuliers rêveurs.

*
* *

De retour aux écuries, après le brouhaha de la foule, et les harcèlements des journalistes et des photographes, Alec et Henry Dailey se retrouvèrent seuls. Tout le temps qu'Henry passa à nettoyer et à panser la pouliche, il ne desserra pas les dents. Alec faisait seul les frais de la conversation. Mais, en somme, il ne se posait que deux questions : pourquoi Black Minx s'était-elle conduite aussi follement ? Pourquoi cette défaite écrasante... alors que la victoire semblait certaine ?

À la fin, Henry rompit le silence.

« Ne crois pas, bougonna-t-il, que je sois incapable de comprendre la raison de son échec. Ce qu'elle vient de faire, elle ne le recommencera pas ! Aucun cheval ne se moque de moi deux fois ! »

Comme Alec attendait une explication un peu plus précise, Henry ajouta avec un rien d'irritation :

« Voyons, à ton sens, pourquoi agit-elle ainsi ? Pourquoi a-t-elle ralenti ? Tu connais les chevaux. Tu n'es pas tombé de la dernière pluie ! »

Alec se gratta le front :

« Il se pourrait que... Éclipse...

— Non, coupa Henry, Éclipse n'est pas en cause.

— Alors... Mais j'ai peur, Henry, que vous me preniez pour un imbécile.

— Vas-y quand même. Tu brûles, je le vois bien. »

Alec se jeta à l'eau :

« Elle n'aurait pas un... faible pour Wintertime ? Vous voyez ce que je veux dire ? De sorte que, quand elle est près de lui, elle ne veut plus le quitter. »

Henry aurait dû triompher. Mais, au contraire, il prit une mine plutôt renfrognée :

« Voyons, Alec, tu n'as pas fini de dire des bêtises ? »

Chapitre 9

Le ranch de l'Avenir

Le lendemain, à quatre heures du matin, Black Minx et Black roulaient dans le petit van de l'Espoir, vers l'hippodrome de Belmont Park. Henry conduisait. Alec était assis près de lui et, de temps en temps, par l'étroite ouverture qui séparait la cabine de l'intérieur du véhicule, il jetait un coup d'œil à la pouliche et à l'étalon noir.

« Au fond, dit-il, ça ne s'est pas si mal passé.

— Quoi ? demanda Henry.

— Je parlais de Black Minx. Avant d'entrer dans le van, elle a rué deux ou trois fois. J'ai cru un moment qu'elle ne voulait pas quitter son cher Wintertime. Maintenant, elle est bien calme.

— Tu ne lui as donc pas dit qu'il allait partir lui aussi pour Belmont ? fit Henry, sarcastique. Tu as proféré une grosse bêtise hier. Pourquoi t'arrêter en si bon chemin ?

— Je n'ai pas prétendu avoir raison, marmonna Alec. Ce n'était qu'une hypothèse.

— Ne te fâche pas. Je plaisantais », conclut Henry.

Déjà Baltimore. L'air nocturne était frisquet, les rues désertes. Devant eux, Henry et Alec voyaient scintiller les feux arrière des nombreux autres vans. Il y avait du monde sur la route de Belmont !

Alec reprit la parole :

« À votre avis, Henry, Éclipse est-il vraiment un champion ? Il gagne tout ce qu'il veut. Il bat des records. Et pourtant, j'hésite à...

— Tu as raison d'hésiter ! Il ne faut jamais être trop catégorique. Cependant, ayant vu jadis Sysonby, Colin et Man O'War — des cracks extraordinaires —, je crois qu'Éclipse peut leur être comparé, sous certaines réserves.

— Pourtant, insista Alec, je persiste à penser que la pouliche est capable de le battre. »

Henry secoua la tête :

« Non, pas elle. Aucun trois ans ne peut faire ça.

— Alors... Black ? »

Henry stoppa à un croisement et redémarra :

« Franchement, je ne songeais pas à lui. Je ne l'imaginais pas affrontant Éclipse. Mais il y a Casey, un autre rival possible. Je suis presque persuadé qu'il sera opposé à Éclipse avant la fin de l'année. »

Casey ? Oui, Alec le connaissait : un étalon alezan, fils de Bold Irishman et de Swat, et chouchou des hippodromes new-yorkais. Il n'avait commencé à donner toute sa mesure qu'à quatre ans. Et pas plus tard qu'hier la presse chantait sa victoire à New York dans un handicap, le Metropolitan Mile.

« Combien portait-il ? demanda Alec.

— Soixante et demi, dit Henry.

— Deux kilos de plus qu'Éclipse », murmura Alec, songeur.

Après cela, ils roulèrent sans ouvrir la bouche pendant plusieurs minutes. Le jour se levait, Henry éteignit ses phares. Puis, comme s'il se parlait à lui-même, il grommela :

« Il faudrait que je m'occupe sérieusement de lui... »

Et voyant qu'Alec l'interrogeait des yeux :

« C'est de Black que je parle. Je le voudrais tout à fait prêt. De nos jours, on ne plaisante pas. Pour gagner, il faut une préparation soignée, approfondie.

— La semaine dernière, il a bien galopé, fit observer Alec. Mais une vraie course lui ferait plus de bien que le meilleur entraînement. Un seul inconvénient : il sera tellement chargé qu'il ne pourra pas avancer.

— On pourrait toujours faire un essai...

— Pourquoi pas ? demanda Alec dont le cœur battait plus vite. Dans quelle course ?

— Je pense au Speed Handicap. Mille quatre cents mètres seulement. Même s'il a un très gros poids, il n'aura pas le temps de se fatiguer.

— Quand, Henry ?

— Le Speed Handicap a lieu mercredi. »

Alec se garda bien de formuler le moindre commentaire. D'ailleurs, la joie lui coupait le souffle. Jamais il n'aurait cru remonter Black en course aussi rapidement.

Quatre heures plus tard, ils s'arrêtèrent au voisinage de Flushing, devant le domaine où ils avaient commencé leur association, devant les prés où Black, venant droit de sa lointaine Arabie, avait brouté pour la première fois l'herbe américaine. Abandonné aujourd'hui, ce domaine appartenait toujours à Henry. Celui-ci le balaya du regard, en hochant la tête.

« Je pourrais vendre tout cela, dit-il, pour faire reconstruire notre écurie. Mais... »

Il n'acheva pas sa phrase. Alec remarqua alors, dans cette vive lumière du matin qui fouille si impitoyablement les visages, combien son ami paraissait las et vieilli.

Mais, déjà, le véhicule roulait de nouveau. Les yeux fixés devant lui, Henry Dailey poursuivit :

« Ça ne vaut rien de méditer sur les endroits où l'on a vécu, surtout quand, comme moi, on prend de la bouteille.

— Vous plaisantez, Henry ! protesta Alec.

— Pas du tout. À mon âge, on n'est plus bon à rien. On ne jure que par le passé. Alors que, ce qui compte, c'est l'avenir ! L'avenir, tu m'entends bien, Alec ! C'est la seule chose importante. Aussi, sais-tu ce que nous allons faire ? Plus de ranch de l'Espoir. Dorénavant, nous nous placerons sous le signe de l'avenir. Le ranch de l'Avenir ! C'est bien moins vague et tellement plus beau ! Ton avis, Alec ?

— Euh, bien sûr, bien sûr », balbutiait Alec sur un ton presque trop conciliant.

Puis, soudain, tout ce qui venait d'être dit fut chassé comme par un coup de vent. Henry Dailey serra ses freins à les faire crier et appela :

« Mike ! Tu ne me reconnais pas ?

— Tiens, Henry ! répondit un petit homme maigre, au visage buriné, qui marchait le long du trottoir.

— Où vas-tu ?

— À Belmont Park.

— Nous aussi ! Monte vite. Qu'est-ce que tu vas faire là-bas ? Tu étais pourtant à la retraite.

— J'ai repris du service. Je m'ennuyais.

— Pas possible ! » s'exclama Henry en ouvrant de grands yeux.

Et s'adressant à Alec, qui était un peu serré entre lui et le nouveau venu :

« Alec, regarde bien cet homme. C'est Mike Costello, un des plus anciens mais toujours un des meilleurs jockeys de notre époque.

— Je crois, Henry, que tu exagères un peu. D'ailleurs, écoute bien. Si on ne m'avait pas proposé de monter Casey... je n'aurais pas continué.

— Ca... sey ? balbutia Henry Dailey. C'est donc toi qui le montais dans le Metropolitan Mile ?

— Oui, moi. Quel cheval ! Il n'a pas fini de faire parler de lui. D'ailleurs... »

Mike Costello continua de parler. Mais Henry et Alec l'écoutaient à peine. Tandis que le van roulait à bonne allure, chacun d'eux s'efforçait de cacher son étonnement. Enfin, du coin des lèvres, sans se détourner de la route, Henry murmura à l'intention d'Alec :

« Oublie ce que j'ai dit tout à l'heure. Plus question de changer le nom du ranch. L'avenir, oui, ça existe. Mais il y a encore des vieux qui tiennent rudement le coup ! »

Alec ne répondit pas. Quant à Mike Costello, avait-il entendu ? En tout cas, il avait tiré une pipe de sa poche et paraissait absorbé par la délicate opération qui consistait à la bourrer.

Bientôt, devant eux, à travers le pare-brise du van, se dessina, sombre, impressionnante, la tribune principale de Belmont Park.

Chapitre 10

Un revenant

Le réveil sonna. Alec l'arrêta d'une main tâtonnante. Puis il ouvrit les yeux et constata que le soleil du matin enflammait les persiennes. Dans le lit voisin, Henry Dailey ronflait. À leur arrivée à Belmont Park, le dimanche précédent, ils avaient loué une chambre dans la maison dont une partie était déjà occupée par Donald Conover, l'entraîneur de Wintertime, ainsi que par sa femme et sa petite fille âgée de six ans.

Un moment, Alec resta allongé. Petit à petit, il reprenait contact avec la réalité. Tout à coup, il se redressa. Non, il ne se trompait pas. Trois jours s'étaient écoulés. Et déjà, mercredi ! Pendant ces trois jours, Henry avait pris une décision grave :

« Réflexion faite, je laisse Black Minx se reposer jusqu'à la fin de la semaine. Ça lui donnera peut-être aussi le temps d'oublier Wintertime. Mercredi, c'est Black qui courra dans le Speed Handicap. »

Alec s'assit sur le bord de son lit. Le Speed Handicap : mille quatre cents mètres. Les handicapeurs n'y étaient pas allés de main morte. Ils avaient donné à Black un poids écrasant : soixante-cinq kilos. Le concurrent le plus chargé derrière lui portait dix kilos de moins. Henry avait bien failli déclarer forfait pour l'étalon noir.

Mais il y avait 8 950 dollars au gagnant. Black Minx en avait déjà gagné 11 250 dans le Preakness. Cela pouvait faire au total, 20 000 dollars. Évidemment, on était loin des 100 000 nécessaires à la reconstruction de l'écurie incendiée... Alec sauta du lit, alla jusqu'à la fenêtre et se parla à mi-voix :

« Ça suffit ! Tu vends la peau de l'ours avant de l'avoir tué ! »

Il avait passé une mauvaise nuit. Réveils fréquents, cauchemars. Plusieurs fois, il avait dû, dans l'obscurité, surmonter une crainte vague qui le tenait à la gorge. Il se voyait tombant, blessé, tué peut-être sur le sol de la piste... Il se gourmanda de nouveau :

« Tu passes trop vite de l'optimisme au pessimisme. Simplement, il faut tout mettre en œuvre pour que cette journée soit un succès. Nous sommes en pleine forme, Black et moi. Son dernier travail a été excellent... »

Aux premières heures de ce mercredi 26 mai, le temps était lumineux. Le terrain devait être bon, comme Black l'aimait. Alec ouvrit les persiennes, aperçut le bai clair Wintertime de Donald Conover qui broutait derrière la barrière blanche d'un enclos. Dans ces parages de l'hippodrome, tout était net, propre, fraîchement repeint. Les chevaux, que promenaient des lads, avaient l'air eux-mêmes de jouets neufs.

Après sa toilette, Alec mit un blue-jean, enfila un sweater, quitta la chambre sans réveiller Henry et sortit de la maison. Habituellement, il partageait le petit déjeuner des Conover. Mais, ce matin-là, il était pressé de se retrouver seul avec Black, « son » cheval.

Il longea les enclos, donna au passage une caresse à Wintertime et au minuscule poney qui était la propriété personnelle de la fille de Donald Conover. Puis il continua son chemin. Peu après, il poussait la porte de l'écurie où Black et Black Minx occupaient deux boxes. C'était dans cette écurie que logeaient également les chevaux de Donald.

« Bonjour, Raymond, dit-il au lad qui s'avançait vers lui.

— Bonjour, Alec, répondit le garçon. Vous êtes bien matinal aujourd'hui. Vous n'avez pas dû prendre le temps de manger. Un grand jour comme celui-là, ça coupe l'appétit, pas vrai ? »

Alec n'hésita pas à mentir. Pour rien au monde, il n'aurait voulu passer pour un émotif.

« Rien ne m'a jamais coupé l'appétit », affirmat-il.

Et, après un coup d'œil à la sellerie, il se dirigea vers le fond de l'écurie. Black Minx, la tête posée sur la demi-porte de son box, bougea à peine quand il apparut. Mais, du fond du box voisin, Black s'approcha vivement, tête haute. Il était plus jeune, plus beau, plus imposant que jamais, dans une forme aussi parfaite qu'à ses débuts, si l'on en jugeait à ses muscles longs et frémissants, à sa silhouette puissante que rien ne semblait devoir alourdir. Oh ! il donnerait sûrement aujourd'hui une image splendide de lui-même, cette image qui avait si souvent déclenché chez les spectateurs un enthousiasme délirant.

Alec lui murmura des mots incompréhensibles aux autres mortels, et qui faisaient tressaillir les fines oreilles de l'étalon noir. En même temps, avec délicatesse, il tirait des brins de paille de sa crinière.

Puis, à haute voix, dans le vocabulaire de tout le monde, il conclut :

« Seul Casey peut rivaliser avec toi. Et encore ! »

Au bout de cinq minutes, il sortit de l'écurie par une porte de derrière. Il avait envie de rester seul. En sifflotant, il marcha, pour se détendre les nerfs et réfléchir, le long de la clôture qui isolait du monde extérieur l'hippodrome et ses abords — univers mystérieux. Il évoquait un fait qui lui avait paru étrange. Les jours précédents, la presse avait bien publié les noms des huit chevaux qui participaient au Speed Handicap. Mais le retour de Black après une assez longue absence ne semblait avoir donné lieu à aucun commentaire particulier...

Alec s'en était ouvert à Henry. Et, devant le silence du vieil entraîneur :

« Après tout, avait-il dit, c'est peut-être normal.

— Peut-être, avait répondu Henry. Personnellement, j'aurais préféré un peu plus de publicité. Mais nous n'y pouvons rien. En outre, j'ai remarqué depuis longtemps que rien ne se passe à Belmont comme ailleurs. Belmont est un endroit assez chic, assez snob. On y apprécie la discrétion. »

Alec entra, pour boire une tasse de café, dans le bar réservé aux jockeys. Il échangea quelques mots avec plusieurs collègues. Puis, sa tasse vidée, il reprit sa promenade.

Plus tard, au début de l'après-midi, il se rendit au vestiaire des jockeys. Il alla droit à son placard personnel et se laissa tomber sur le petit banc placé devant le placard. Une voix familière le fit sursauter :

« Ça ne va pas, Alec ? Tu fais une drôle de tête ! »

C'était Mike Costello.

« Au contraire, ça va très bien, répondit Alec. Et c'est ma tête ordinaire. »

Un jockey qui passait avait tout entendu. Il ricana :

« Sa tête ordinaire, tu parles ! Il monte Black aujourd'hui. Ça lui flanque la colique !

— Ça suffit ! » ordonna Mike Costello.

L'autre continua son chemin en haussant les épaules.

Mike Costello se retourna vers Alec et, à mi-voix :

« C'est vrai, ce que raconte cet imbécile ?

— Un peu, oui. Il y a assez longtemps que je n'ai pas monté Black, sauf à l'entraînement. Alors, tu comprends...

— Je comprends, déclara le vieux jockey avec force.

— Et toi, je suppose que tu montes Casey ?

— Non, mais je cours quand même dans la troisième. On m'a refilé un nommé Earl of Sykes, qui ne vaut pas un clou. Ah ! si j'avais monté Casey, je t'aurais donné du fil à retordre !

— Et Casey ?

— On le réserve pour le Suburban. »

Sur ces mots, Mike Costello ouvrit son placard et commença de se déshabiller. Alec remarqua combien cet homme plus que mûr restait mince et musclé.

« Tu montes à combien aujourd'hui, Mike ? demanda-t-il.

— Cinquante-cinq. Cela fait que vous nous rendez vingt livres avec Black. Tu montes donc, selon une méthode de calcul personnelle, le meilleur cheval et tu devrais gagner d'environ cinq longueurs. »

Alec sourit :

« Si je comprends bien, selon toi, une livre vaut un peu plus d'une encolure ?

— Un peu plus, oui. Bien sûr, il y a d'autres éléments qui entrent en jeu, mais on n'en finirait plus. D'ailleurs, le temps commence à presser. »

En effet, quelques jockeys quittaient la salle pour la deuxième course. Alec lui-même n'avait plus longtemps à attendre. Déjà, Henry et Napoléon devaient être en train de conduire Black au paddock.

Tout en s'habillant, il regarda Mike Costello mettre son étroite culotte de nylon blanc. Dans le placard du vieux jockey, il y avait, pendue dans l'ombre, la casaque bleu et or, aux couleurs de la célèbre écurie Milkyway à laquelle, comme Casey, appartenait Earl of Sykes. Alec se doutait qu'une maison aussi réputée ne se serait jamais permis d'aligner un mauvais cheval dans une épreuve aussi importante que le Speed Handicap. Ainsi, le vieux Mike avait un peu menti en affirmant qu'Earl of Sykes ne valait pas un clou. En réalité, Earl of Sykes devait avoir une chance régulière.

Il allait donc falloir compter avec ce vieux renard et son partenaire ! Henry avait confié à Alec :

« Mike est un jockey de premier ordre. Réfléchi et énergique à la fois. Mais il ne fait jamais rien de spectaculaire. On s'aperçoit à peine qu'il est là, dans le peloton. Puis, tout à coup, la foudre ! Pourtant, il reste loyal avec les autres concurrents, et il obéit à ses entraîneurs. La vieille école, sans doute. Mais diablement efficace ! »

Au moment de refermer son placard, Alec ne put s'empêcher de prononcer :

« Attention ! Ouvrons l'œil ! »

Mike Costello le regarda :

« Tu dis ?

— Oh ! rien. Je me parlais à moi-même », répondit Alec.

Puis il suivit vers la sortie les jockeys de la troisième course. Mais il sentait dans son dos la présence étrange du vieux crack.

Chapitre 11

Vitesse !

Une demi-heure avant le départ de la troisième, sept jockeys attendaient en file indienne dans la salle où avait lieu la pesée. Le huitième manquait : Mike Costello. Mais il ne tarda pas à apparaître et se plaça juste derrière Alec.

L'opération fut rapide. Comme par hasard, Alec se retrouva à l'extérieur avec Mike Costello.

« À ce que je vois, dit ce dernier, goguenard, tu utilises l'antique selle d'Henry Dailey ! »

Alec, sans s'arrêter, fit « oui » de la tête. Il avait hâte de se rendre au paddock. Tandis qu'il s'éloignait à grands pas, il entendit Mike Costello lui crier :

« Avec une selle comme celle-là, je t'assure que tu n'as pas plus de chances que moi. »

Alec pensa : « Ça, un ami ? Peut-être. Mais plutôt bizarre. » Et il se souvenait d'un conseil donné par Henry : « Méfie-toi de lui à tout instant. Il essaie toujours de se faire tout petit. Ce sont les plus dangereux ! »

À dix mètres du paddock, il s'arrêta. Black

s'avançait, accompagné d'Henry et de Napoléon. Pour la circonstance, Henry s'était coiffé d'un superbe chapeau neuf. Mais c'était Black qui attirait tous les regards. Les badauds saluèrent son arrivée par une salve d'applaudissements. Docile, il entra dans le paddock, puis il alla se placer sous l'auvent où on allait le harnacher.

Ce fut Alec qui passa la bride. Henry souleva la selle qu'Alec avait posée sur le sol. Il déclara avec une grimace :

« Pas légère certes. Mais ce n'est pas ça qui l'arrêtera, même avec des concurrents comme ceux d'aujourd'hui. »

Alec approuva d'un signe de tête. Il se sentait moins tourmenté, moins inquiet. Au reste, il en était toujours ainsi quand il pouvait ne pas rester inactif et, surtout, quand le grand moment approchait.

Au bout de quelques secondes, en montrant discrètement un auvent situé un peu plus loin, sur la droite, il demanda à Henry :

« Et Earl of Sykes, le cheval de Mike Costello, qu'en pensez-vous ?

— Peuh ! Seulement, comme je te l'ai déjà répété, méfie-toi de Mike. Le vieux renard ! Il ne te fera pas de cadeau ! Il essaiera de te persuader qu'il est au bout du rouleau. C'est un tour qu'il a pratiqué cent fois. N'oublie pas que la course ne comporte que mille quatre cents mètres. Détache-toi tout de suite et fonce ! »

Ces conseils, Alec les avait entendus souvent. Mais ils lui faisaient toujours le même bien, en ce qu'ils lui traçaient une ligne solide de conduite. Il caressa Black tandis qu'Henry finissait de le seller. La sueur commençait à apparaître sur le poitrail de l'étalon noir. Bon signe. C'était la preuve que Black, dans les profondeurs de son instinct, sentait ce qu'on attendait de lui et s'y préparait.

Peu après, tous les concurrents marchaient en cercle dans le paddock. Sur le passage de Black, Alec entendit plusieurs personnes bavarder sans trop élever la voix, avec une intonation de respect :

« Voilà Black. Oui, c'est lui.

— Tu es sûr ?

— Naturellement. Il n'a pas changé. Toujours aussi beau, aussi fier ! Tu peux le toucher, si tu en as envie. »

Mais Alec et Henry — ce dernier déjà sur Napoléon — montaient la garde. Dès qu'un spectateur faisait mine de s'approcher, ils intervenaient et l'invitaient poliment à reculer.

Puis le juge du paddock ordonna :

« Jockeys, à cheval ! »

Henry mit pied à terre, souffla à l'oreille d'Alec en l'aidant à se hisser sur Black :

« Maintenant, va gagner notre vie ! »

Et il remonta lui-même sur Napoléon. Alec lui demanda en rassemblant ses rênes et en cherchant ses étriers :

« Vous êtes donc convaincu que...

— Oui ! affirma le vieil entraîneur. Un dernier conseil : retiens-le si tu vois que tu es sûr de la victoire. S'il l'emportait trop facilement, il porterait un poids écrasant la prochaine fois !

— Très bien.

— Un mot encore : attention à Mike. Dans ses meilleurs jours, ce n'est pas un jockey, c'est un démon ! »

Alec avait eu le temps de faire connaissance avec la piste. Elle était très bonne, la pluie n'étant pas tombée depuis plusieurs jours. La tribune principale, haute comme une cathédrale, y projetait son ombre. De la foule des spectateurs montait une rumeur continue, d'où se détachaient parfois des applaudissements. Ici pas d'orchestre, une parade réduite au minimum. Contrairement aux autres hippodromes, Belmont Park, comme l'avait dit Henry, appréciait la discrétion.

Tout se passa donc sans complications. Les huit concurrents défilèrent, les uns au pas, les autres au petit galop, devant les tribunes. Et, bientôt, ils s'arrêtèrent de l'autre côté de la piste, derrière les stalles de départ.

Henry dit alors à Alec, en lâchant le bridon avec lequel il avait tenu Black jusque-là :

« À toi de jouer. Je t'attends à l'arrivée. »

Alec n'eut besoin d'aucun secours extérieur pour faire entrer Black dans la stalle numéro trois. Et, par un fait presque extraordinaire, tous les autres concurrents imitèrent l'étalon noir. Toutefois, dans la stalle voisine, à droite d'Alec, Earl of Sykes, le cheval de Mike Costello, montra tout de suite un assez mauvais caractère. Il projeta le vieux jockey contre l'une des parois. Mais Mike était rarement pris au dépourvu. Furieux, il scia la bouche de son cheval en lui criant aux oreilles :

« Une carne comme toi ! Tu devrais avoir honte ! Tu tiens à peine sur tes jambes, et tu fais le malin ! »

Alec ne put s'empêcher de rire. Mike, pourpre de colère, bougonna en gardant néanmoins les yeux fixés sur la piste :

« Tu peux bien rigoler, Alec. Je dis la vérité. Ce cheval ne vaut rien. Il est tout juste bon pour l'équarrissage ! Je ne te souhaite aucun mal. Mais je voudrais bien te voir à ma... »

Il fut interrompu par la cloche, et les portes des stalles s'ouvrirent avec un grincement métallique.

Black sortit de sa stalle aussi souplement qu'il y était entré. Il bouillonnait du désir de galoper et semblait ignorer la présence des autres concurrents. Alec laissa les rênes glisser entre ses doigts, comme il le faisait toujours au ranch de l'Espoir pour les entraînements quotidiens. Mais là il s'agissait de quelque chose de sérieux ! Soudain, il se ressaisit, raccourcit les rênes. Il laissa même passer un cheval qui menaçait de les bousculer.

Dans les tribunes et le long des barrières, la foule des turfistes faisait entendre une sorte de sourd rugissement, semblable à celui d'un torrent colossal. Alec, lui, n'entendait que le roulement, régulier — et si léger ! — que produisaient sur la piste sèche mais souple les sabots de l'étalon noir. Trois cents mètres les séparaient encore du premier tournant, long lui-même de quatre cents mètres. Il raccourcit encore ses rênes pour éviter une collision avec un concurrent qui s'apprêtait à lui couper la route. Mais Black n'aimait pas être tenu aussi énergiquement. Il se débattait contre le mors, secouait la tête.

« Laisse-le filer autant qu'il le voudra », avait dit Henry.

Ce conseil tintait dans l'esprit d'Alec. Alors pourquoi hésiter ? Le jeune jockey détendit ses rênes, autant qu'il le pouvait sans imprudence. Alors, ivre de liberté, Black contourna le cheval qui avait failli l'intercepter, doubla tous les autres et surgit en pointe, devant le peloton. Pour la première fois depuis le départ, Alec assura confortablement son assiette et se coucha entièrement sur l'encolure. Il avait l'impression que, derrière lui, le roulement des sabots diminuait, comme si le peloton lâchait pied. Devant Alec et Black, il n'y avait que la piste déserte ! Et il n'y aurait plus rien jusqu'au bout. À moins que...

Alec venait d'être saisi d'une hésitation. Henry n'avait-il pas dit que, si Black gagnait par trop de longueurs, il serait exagérément chargé lors des prochaines courses ? Mais le laisser gagner par une ou deux longueurs seulement, n'était-ce pas insuffisant... pour sa réputation ?

Couper la poire en deux... être raisonnable. Alec reprit le contrôle des rênes et, doucement, sans à-coups, sans presque ralentir, il conduisit de biais l'étalon noir vers la corde, là où le tournant pouvait être pris au plus court.

Black s'y engagea sans forcer, par larges foulées régulières. La victoire, maintenant, Alec l'estimait certaine. « Nous gagnerons honorablement, se disait-il. Cela suffit. L'essentiel est de ne pas trop attirer l'attention de ces maudits handicapeurs ! »

D'un seul coup d'œil, il vit que, dans les tribunes, tous les spectateurs s'étaient dressés et hurlaient comme ils le font toujours quand les chevaux s'apprêtent à entamer la dernière ligne droite.

Puis, alors que rien ne semblait plus devoir rompre sa sérénité, un galop pressé, foudroyant,

tambourina dans ses oreilles. Et Mike Costello, ges-
ticulant comme un forcené, se rabattit, à la vitesse
d'un obus, du milieu de la piste à la corde, qu'il
atteignit dix mètres devant Alec et Black. En un
éclair, il avait pris la tête, arraché sa place au leader ! Alec faillit crier de rage. Pourtant, combien de
fois Henry n'avait-il pas répété : « Un vieux
renard ! Méfie-toi de lui à tout instant ! Même s'il
monte une carne, il a assez de génie pour obtenir un
résultat étonnant ! »

Le vieux jockey poussait furieusement Earl of
Sykes le long de la barrière. Il le talonnait, l'inju-
riait, le fouaillait de sa cravache.

Mais Alec déjà se ressaisissait. Il savait que
Black pouvait remonter comme en se jouant le cheval de Mike Costello. Il attendit donc la fin du tournant. Quand apparut la ligne droite, la voix du
speaker lui parvint, remarquablement claire :

« Earl of Sykes tient la tête. Black le suit de près
et s'apprête à le remonter. Iron Man et Hell's Fury
viennent très vite à l'extérieur... »

Alec n'entendit pas la suite. Autre chose le
passionnait. En effet, Mike Costello avait cessé
de s'agiter sur sa selle et de cravacher son
cheval. Et il le contraignait à ralentir ! Si bien
qu'Alec dut freiner à son tour, en utilisant à
fond ses rênes et ses étriers au bout de ses
jambes raidies. Par ce moyen, il parvint à ne
pas heurter Earl of Sykes. Mais il n'était pas au
bout de ses peines ! Il se rendit compte à la
dernière seconde qu'il allait être enfermé dans
un piège. Car, venant de droite, Iron Man et
Hell's Fury s'apprêtaient à le bloquer.

Seule solution... Oui, c'était cela ! Contourner les

trois chevaux. Black avait accompli tant d'autres exploits !

Mais Mike Costello avait calculé son affaire. Il redémarra brusquement, sans attendre Iron Man et Hell's Fury. Avec un hennissement furieux, l'étalon noir se jeta à sa poursuite.

Alec avait cru pouvoir passer au ras des naseaux des chevaux qui voulaient le bloquer. Mais il avait foncé trop tard. Les deux arrivants l'en empêchèrent. Le piège se refermait !

Pourtant la manœuvre n'était pas terminée. Mike Costello avait tant de tours dans son sac ! Il se mit à louvoyer, à décrire de brefs zigzags. Ainsi, Hell's Fury et Iron Man ne pouvaient, sans risquer une collision, tenter de le dépasser. Alors, ces deux chevaux allèrent se placer sur la droite d'Earl of Sykes.

Alec saisit l'occasion.

« À toi, Black ! »

L'étalon noir se détendit et plongea vers une ouverture entre Earl of Sykes et Iron Man. L'ouverture était étroite. Black parviendrait-il à s'y faufiler ? Sûrement il voyait le péril. Mais cela ne l'empêchait pas d'accélérer. Il semblait se soucier comme d'une guigne des sabots postérieurs menaçants qu'Earl of Sykes lui lançait à la tête. L'ouverture s'était refermée. Qu'importait à l'étalon noir ! Il allait la rouvrir avec son poitrail et toute la puissance de son corps.

Alec hurla à plusieurs reprises :

« Mike, laisse passer ! »

Le vieux jockey jeta un coup d'œil derrière lui. En découvrant que les naseaux de Black frôlaient la queue de son cheval, il parut surpris. D'un autre coup d'œil, il s'assura que Hell's Fury et Iron Man étaient toujours sur sa droite. Pour lui, la situation restait bonne. Le piège ne se rouvrirait pas. Mike continua donc à la même allure, comme si Alec ne lui avait pas ordonné de lui céder le passage. Et, en cela, il eut tort...

Car, soudain, tout changea. Mike Costello eut l'impression d'être emporté dans les airs avec sa monture par un tremblement de terre ! Il fut déséquilibré, faillit s'abattre sur sa gauche. À droite, Hell's Fury et Iron Man s'étaient, eux, volatilisés ! Black avait réussi à détruire le piège, à percer une ouverture là où il n'y en avait pas.

Mike Costello fustigea son cheval avec une brutalité inouïe. Il savait pourtant qu'il ne parviendrait jamais à rattraper l'étalon noir. Celui-ci avait déjà une dizaine de longueurs d'avance et volait vers l'arrivée.

Le vieux jockey avait utilisé ses ruses en vain. Il ne lui restait qu'une ambition : terminer la course devant le peloton. Après tout, on ne pouvait monter un champion à chaque épreuve. Mais patience ! Lundi prochain, il y aurait sûrement du nouveau. Car, ce jour-là serait celui de Casey !

Chapitre 12

Tout le monde savait ça !

Le vieux renard ne s'était pas trompé. Le lundi suivant, toujours à Belmont Park, eut lieu le Suburban. La presse (chauffée à blanc par la direction de l'hippodrome) avait répété sur tous les tons : « Ce Suburban, le plus grand handicap américain, restera sans doute dans toutes les mémoires comme le Suburban de Casey ! »

Le fameux crack portait soixante-six kilos. Il en rendait ainsi quinze à celui de ses concurrents qui était le moins chargé.

Devant soixante-cinq mille spectateurs, Mike Costello conduisit Casey à la victoire, avec sept ou huit longueurs d'avance. Casey gagnait non seulement la première place, mais soixante-dix mille dollars !

Henry et Alec avaient assisté à la course. Quand tout fut terminé, ils attendirent le vainqueur et son jockey sur le chemin des écuries. En mettant pied à terre, Mike Costello grimaça un sourire (ce qui, chez lui, était l'expression d'une joie totale), comme si tout l'argent gagné par Casey lui était personnellement destiné.

Alec ne parvenait pas à détacher son regard du

haut et souple alezan qui s'avançait, très calme. Casey avait une respiration étonnamment régulière. On aurait juré que, sans le moindre effort, sur-le-champ, il pouvait renouveler son exploit. Un lad le tenait par la bride. Mike Costello marchait près de lui. Soixante-dix mille dollars et un record battu ! Mike avait toutes les raisons de se réjouir. « Décidément un bien étrange petit homme », pensa Alec.

Henry Dailey, comme Alec, restait songeur. À la fin, il murmura :

« Nous aurions pu lui faire la vie dure.

— Nous aurions pu le battre ! protesta Alec.

— Peut-être.

— Il n'y a pas de peut-être, Henry.

— Alors, vers la fin de sa saison. Il est en ce moment dans une forme sensationnelle !

— Non, aujourd'hui, insista Alec sans presque desserrer les dents. Avec ces soixante-dix mille dollars, nous avions notre écurie neuve !

— Il aurait fallu prévoir cela de longue date, vers le 15 mai par exemple. Black aurait été prêt — ce que j'appelle prêt.

— Il l'est », protesta de nouveau Alec.

Son regard revint au vainqueur du Suburban. Pas de doute : un cheval de classe exceptionnelle. Mike Costello avait dit vrai à son sujet. Il était expert en la matière, n'ayant monté presque toujours que des cracks, aujourd'hui fabuleux dans la mémoire des turfistes. Man O' War, par exemple.

Mais il n'avait pas monté Black ! Donc, il n'était pas omniscient. « Moi-même, n'ayant jamais monté Casey, songeait Alec, je n'ai pas le droit de prétendre tout connaître. »

Il se tourna vers Henry :

« Je me demandais si nous ne pourrions pas rencontrer Casey à Aqueduct. »

Aqueduct était l'hippodrome le plus proche de Belmont Park. Il ouvrait ses portes dans deux semaines. Il était encore temps, la date de clôture étant le 16 mai, d'engager Black dans une ou plusieurs courses, en choisissant, naturellement, celles qui payaient le mieux.

« Je ne sais pas, fit Henry, assez vague. Mais ça reste possible. »

Les badauds commençaient à s'amasser. Casey, agacé, esquissa une ruade. Mike Costello prit la bride de la main du lad et marqua un temps d'arrêt avant de pénétrer dans l'écurie. Alec eut ainsi la possibilité d'examiner de nouveau le vainqueur du Suburban. Il constata que Casey, au moins par certains détails, ressemblait beaucoup à Black. Même taille, même silhouette où s'unissaient dans une parfaite harmonie la légèreté et la puissance. Force, beauté et ces muscles longs et souples qui semblaient n'appartenir qu'aux meilleurs sprinters, à ceux dont la réserve de vitesse est inépuisable.

À la fin, Henry décida :

« Partons. Nous avons mieux à faire. »

En effet, on les avait autorisés à entraîner Black Minx entre la septième et la huitième course. Ils s'éloignèrent. Tout en marchant, Alec, obstiné, demanda :

« Selon vous, Henry, quand courrons-nous contre lui ?

— Contre Casey ?

— Bien sûr.

— Est-ce que je sais ? Tout dépend de ce qu'on

voudra faire porter à Black. Je n'ai pas envie qu'on nous le crève, surtout après l'effort qu'il a fourni mercredi. D'ailleurs... »

Le vieil entraîneur n'avait pas besoin de terminer sa phrase. Alec savait très bien ce qu'il aurait dit.

Quand un cheval reparaît après une longue absence et se permet de gagner sa première course par dix longueurs et dans un temps jamais atteint, les handicapeurs l'écrasent sous le poids !

Alec et Henry durent s'arrêter pour laisser passer les chevaux qui allaient disputer la cinquième course. Puis ils reprirent leur marche. Tout à coup, Henry fit cette révélation :

« Je ne te l'avais pas dit... pour ne pas te troubler. Mais j'ai reçu avant-hier un coup de téléphone du New Jersey. On me proposait une rencontre entre Black et Casey seuls, une sorte de match à deux, sur mille huit cents mètres. Il y avait en jeu cent mille dollars. J'ai accepté. Mais l'entraîneur et le propriétaire de Casey ont refusé.

— Pourquoi ?

— Sans doute ont-ils flairé un danger. Ces gens-là n'aiment pas les aventures. Et puis à quoi bon ? Les occasions ne manquent pas d'opposer Black et Casey dans des épreuves régulièrement organisées. »

Henry ajouta, après une courte réflexion :

« Tu m'as posé tout à l'heure une question. Je suis un peu resté dans le vague. Maintenant, je pense que Black pourrait rencontrer Casey le 4 juillet dans le Carter Handicap.

— Sans doute, dit Alec. Mais Black sera plus chargé que Casey. C'est un fameux désavantage !

— Ne t'inquiète pas. J'y veillerai. Et s'il n'y a rien à faire pour fléchir les handicapeurs... Tu dois bien te douter que je n'accepterai pas un poids prohibitif. Black nous est trop précieux. »

En bavardant ainsi, ils arrivèrent devant l'écurie d'Éclipse. Ils y furent accueillis par son entraîneur, un certain Dawson. Les poignées de mains échangées, Henry lui demanda :

« Comment va votre beau cheval ?

— Aussi bien que possible, répondit Dawson. Bravo pour votre course de mercredi. J'aurais voulu vous féliciter plus tôt. Mais l'occasion ne s'est pas présentée.

— Merci, monsieur Dawson », dit Alec.

Puis, avec Henry, il franchit le seuil. Tout de suite, ils remarquèrent que la porte du box d'Éclipse était grande ouverte.

« Ne craignez-vous pas qu'il se sauve ? demanda Alec.

— Pas de danger. Nous n'avons que des chevaux bien élevés, répondit l'entraîneur sans la moindre ironie. Ce n'est pas partout pareil...

— Comme chez nous, par exemple ? lança Henry, tout de suite agressif.

— Ce n'est pas ce que j'ai voulu dire ! protesta M. Dawson en levant les bras au ciel. Je sais que l'ordre règne chez vous, Henry. À propos, si vous me permettez un petit conseil, arrangez-vous pour garder soigneusement l'argent que Black Minx vous a rapporté en gagnant le Derby. J'ai l'impression que cette petite pouliche ne fera plus grand-chose.

— Vous pourriez vous mettre le doigt dans l'œil, mon cher Dawson », répliqua sèchement Henry.

Il s'adressa à Alec :

« Viens. »

Alec se détourna à regret du bel étalon qui évoluait sous ses yeux, dans la pénombre du box. Il ne se fatiguait jamais de contempler un cheval de grande classe. Éclipse avait une encolure présentant la même courbure que celle de Black. Cependant elle était plus épaisse et plus courte. La robe était d'un brun presque noir, avec quelques taches claires çà et là, et un chanfrein d'un blanc immaculé. Le corps semblait encore plus puissant que celui de Casey ou de Black. Les yeux avaient peu de vivacité. Mais Alec savait qu'ils s'allumaient dès que le crack de l'écurie Dawson pénétrait sur une piste. Dans l'ensemble, un superbe animal, en parfaite condition physique.

Alec dut courir pour rejoindre Henry. Une demi-heure plus tard, entre la septième et la huitième course, il entraîna Black Minx. La foule, dans un élan spontané, salua la pouliche par des cris et des applaudissements. Celle-ci montra qu'elle savourait, comme à l'accoutumée, ce tintamarre. Tête haute, d'un pas gracieux, elle passa devant les tribunes. Henry avait dit à Alec :

« Huit cents mètres sans te presser, soit cinquante-deux secondes. Il ne faut pas exiger d'elle trop de vitesse en ce moment. Le Belmont n'est que dans quinze jours. »

Alec songea : « Comme il est peu exigeant ! Il craint peut-être qu'elle refuse d'aller aussi vite qu'il le souhaiterait. »

En tout cas, ils avaient pris toutes dispositions pour que Black Minx ne rencontrât Wintertime ni dans les parages des écuries, ni sur la piste. Ils n'avaient pas discuté à ce sujet, sachant trop bien que leurs points de vue restaient assez différents.

Donald Conover était d'ailleurs inquiet de son

poulain. Wintertime boudait sa nourriture. Si bien qu'il avait fallu cesser de l'entraîner. Alec aurait pu fournir à Conover la raison de cette situation. Mais était-ce bien son affaire ?

*
* *

Après les huit cents mètres « sans se presser », Alec dit à Black Minx :

« Maintenant, mignonne, plus vite ! »

Il crut qu'elle allait démarrer. Au contraire, elle se maintint au même petit galop tranquille. Et l'on était déjà dans la dernière ligne droite ! Elle semblait somnoler. N'entendait-elle donc plus la rumeur, coupée de cris violents, qui venait des tribunes ?

Il essaya de l'encourager de la voix, de la stimuler en multipliant — sur sa botte — les coups de cravache. Peine perdue.

« Je t'en prie ! lui dit-il. Montre un peu ce dont tu es capable. Qu'as-tu aujourd'hui ? Des milliers de gens te regardent. Et, parmi eux, il y a Henry ! Qu'est-ce que je vais pouvoir lui raconter ? Il ne sera pas content. Le pauvre vieux Napoléon serait plus vif que toi ! »

Ils approchaient du poteau indiquant que mille six cents mètres allaient être couverts. Mais Black Minx refusait de presser l'allure. De rage, Alec redoublait les coups de cravache. Toujours sans le moindre succès. Pour la réveiller, il aurait fallu autre chose. Peut-être une explosion.

Cependant, Alec se trompait. Black Minx ne dormait pas. La vérité, il finit par le comprendre, était que ce jour-là elle se moquait du tiers comme du quart, même du bruit de la foule. Après le poteau d'arrivée, Alec entendit quelques sarcasmes. Plusieurs lui allèrent droit au cœur, surtout :

« C'est ça, la pouliche qui a gagné le Kentucky Derby ! »

Dès qu'il le put, il mit pied à terre et conduisit Black Minx à l'écurie. Longuement, il l'observa. Pas d'erreur : immobile dans son box, tête basse, l'œil mort, elle ne semblait s'intéresser à rien. Elle s'ennuyait.

Henry apparut sur ces entrefaites. Il tomba d'accord avec Alec : la seule solution était de renvoyer Black Minx au ranch de l'Espoir. Plus tard, après le dîner, lorsqu'ils furent réunis avec les Conover dans la salle à manger de la maison qu'ils partageaient, Alec dit à Donald Conover :

« Il m'est venu une autre idée. Vous avez des ennuis vous aussi avec Wintertime. Il ne sera jamais prêt pour le prix Belmont.

— Tu as raison, admit Conover. On ne peut pas entraîner un cheval qui laisse de l'avoine dans sa mangeoire. Le vétérinaire ne lui trouve rien de particulier. Il faudrait le mettre au vert. Un mois ou deux d'herbe fraîche... Accepteriez-vous de le prendre en pension à votre ranch ? »

Ce n'était pas l'idée d'Alec. Mais Henry ne lui laissa pas le temps de l'exposer.

« Pourquoi pas, Donald ? dit-il. Nous avons toute la place nécessaire. Et, au train où vont les choses, un peu d'argent supplémentaire ne nous fera pas de mal. »

Alec revint à la charge :

« Vous ne m'avez pas laissé achever !

— Eh bien, vas-y, fit Conover sur le ton de la plaisanterie.

— J'ai l'impression, commença Alec, que votre poulain et notre pouliche...

— Tu ne vas pas remettre ça ! » cria soudain Henry en se levant de sa chaise.

Il alla à la porte, mais ne l'ouvrit pas. Adossé au battant, il attendit la suite en secouant la tête.

Alec continua sans se troubler :

« Ce que je suggère est simple. Plaçons Wintertime et Black Minx dans des boxes voisins et essayons encore de les faire s'entraîner ensemble.

— Comme à Pimlico ? dit Conover.

— Exactement.

— Tu ne crains pas qu'elle te fasse le même coup ?

— Non. Elle donnera le meilleur d'elle-même, si Wintertime en fait autant. »

Conover fronça les sourcils :

« Je ne te comprends pas très bien, Alec. Mais je suis prêt à essayer n'importe quoi pour que mon poulain retrouve sa forme avant le Belmont ! »

Il y eut, à l'autre bout de la pièce, un reniflement de mépris. Puis on ouvrit la porte et on la referma d'un coup sec. C'était Henry qui sortait.

Le lendemain matin, Black Minx fut installée près de Wintertime et, dans la soirée, celui-ci avait vidé trois fois sa mangeoire jusqu'au dernier grain. La pouliche avait toujours eu bon appétit. Mais, maintenant, elle ne boudait plus au fond de son box. Elle s'intéressait à ce qui se passait dans l'écurie. Et, elle qui ne mordait jamais, elle trouva le moyen d'attraper le bras de Billy Watts, le jockey de Wintertime, et de le mordiller.

Henry dut reconnaître qu'Alec avait raison « sur certains points ».

« Elle aime la compagnie, dit-il. Cela saute aux yeux. Elle va peut-être retrouver le goût de courir... »

Alec répliqua :

« Ce n'est pas aussi simple que vous le croyez. S'il n'y avait pas là un peu de prétention de ma part, je dirais que nous sommes en train de lui appliquer une sorte de traitement psychologique. Si elle se remet à courir uniquement parce qu'elle peut voir Wintertime, alors c'est gagné ! Mais je ne suis pas vétérinaire. Je peux me tromper ! »

Et, comme le vieil entraîneur s'esclaffait :

« Vous pouvez rire, Henry ! Vous m'avez souvent dit que les chevaux comme les hommes ont besoin d'un esprit sain dans un corps sain. Ce n'est pas notre faute si Black Minx n'est pas normale. Tout de même, il faut être aveugle pour ne pas se rendre compte qu'elle a un faible... une espèce de passion pour Wintertime ! La faire vivre près de lui, c'est le seul moyen de lui rendre son équilibre. »

La semaine suivante, Wintertime et Black Minx furent conduits ensemble sur la piste. Le résultat pulvérisa les dernières réticences d'Henry et dépassa tout ce qu'Alec et Donald Conover avaient espéré. La même expérience fut répétée plusieurs jours de suite, avec un succès croissant. Tête contre tête et presque les yeux dans les yeux — comme des fiancés — Black Minx et Wintertime galopèrent dans l'allégresse. Ils avaient retrouvé leur joie de vivre et une fougue inépuisable.

Deux spectateurs seulement dans la tribune principale : Henry et Conover. Leur chronomètre à la main, ils se taisaient, muets de stupeur.

Chapitre 13

Le Prix Belmont

À Belmont Park, il y avait deux appareils de télévision dans la salle des jockeys. L'un ne montrait que les courses qui se disputaient sur la piste. L'autre était réservé aux matches de base-ball.

En ce samedi 12 juin, presque tous les jockeys qui ne participaient pas à la sixième course étaient réunis — ainsi que quelques lads — dans cette salle. Parmi les jockeys, le vieux Mike Costello. Ayant monté dans la cinquième, il n'avait plus qu'à se tourner les pouces, en contemplant un match de base-ball entre les Géants et les Rusés Compères, qui se déroulait à Ebbets Field. Puis quelqu'un cria :

« Ça va commencer ! »

Tous allèrent se grouper devant l'autre écran. L'image montrait la piste, les barrières, les tribunes. Presque tout de suite, le speaker annonça :

« Mesdames et messieurs, bienvenue à Belmont Park. Vous allez assister au Prix Belmont, l'un des éléments de la Triple Couronne, réservé aux poulains et pouliches de trois ans. »

Les tribunes étaient combles. Il y avait même,

malgré un soleil torride, des spectateurs juchés sur les toits. Et des milliers et des milliers d'autres s'écrasaient contre les barrières.

« Voici donc le Prix Belmont, reprit le speaker. Beaucoup de turfistes l'appellent "le test des champions", et cela avec raison. Car il se dispute sur la distance exacte du Derby anglais, soit deux mille quatre cents mètres. Plus encore que le Kentucky Derby et le Preakness, cette épreuve historique exige les deux qualités majeures : tenue et vitesse. »

Jockeys et lads écoutaient en silence. Certains visages exprimaient une sorte d'effroi mêlé d'admiration, d'autres simplement l'envie.

Le silence fut rompu lorsque l'écran montra un cheval portant le numéro un sur son tapis de selle.

« Voilà Bouchon de Champagne ! » crièrent ensemble plusieurs jockeys.

Bouchon de Champagne était le surnom qu'on donnait parfois à Éclipse dans le milieu hippique, en raison de ses sursauts inattendus, de ses démarrages foudroyants.

Éclipse, grand et presque corpulent dans sa robe brune, passait au petit galop devant les tribunes.

Un lad s'approcha un peu plus de l'écran et dit :

« La pluie de cette nuit n'a pas fait beaucoup de dégâts. Regardez.

— Je crois quand même que le terrain est collant, fit observer un jockey. La piste ne va pas être bien fameuse.

— Ma parole ! s'exclama un autre jockey. Il y a un orchestre. Vous n'entendez pas ? C'est assez nouveau à Belmont. Où se cache-t-il ?

— Derrière les tribunes, dit une voix en riant. Comme ça, personne ne peut le voir. »

Une autre voix ordonna :

« Fermez-la ! Il faut tout de même savoir ce que raconte le speaker ! »

En effet, celui-ci n'avait pas cessé de parler. Et, depuis un moment, personne ne daignait l'écouter.

« Éclipse, disait-il, est un concurrent sérieux, un champion qui devrait faire ses preuves dans ce célèbre classique. D'après ceux qui le connaissent bien, il montrera aujourd'hui sa véritable valeur. Il aura sans doute le redoutable honneur d'être favori. »

Un jockey gloussa :

« Deux contre un ! À cette cote-là ils peuvent le garder ! Il ne vaut pas ça !

— Silence ! »

Le speaker ajouta :

« Beaucoup de turfistes estiment qu'il faut oublier sa défaite derrière Black Minx, dans le Kentucky Derby. Ils jurent qu'il n'était pas encore en possession de tous ses moyens. Aujourd'hui, selon eux, c'est un autre cheval. Il doit effacer son échec du Derby. »

La caméra continuait à suivre Éclipse qui, depuis quelques secondes, s'était mis au pas. Les jockeys et les lads prêtaient au speaker une oreille plus attentive.

Aussi, quand la voix anonyme résonna de nouveau, on aurait, dans la salle, entendu voler une mouche :

« Après le Kentucky, Éclipse battit ici même, à Belmont, un nouveau record mondial dans le Withers Mile. Et naturellement, il apparut à Pimlico, pour essayer de surclasser la pouliche qui lui avait ravi le Derby... sur une piste particulièrement lourde. Comme à l'accoutumée, Éclipse est monté par le "jeune vétéran" Ted Robinson. »

La caméra lâcha Éclipse et s'arrêta sur Wintertime, qui le suivait au petit trot.

« Voici maintenant Wintertime, expliqua le speaker. Ce poulain bai clair semble apprécier les pistes collantes. Au reste, c'est ici qu'il a passé presque toute son existence. Quelques personnes estiment qu'Éclipse aura du mal à le rejoindre dans la dernière ligne droite. Il a fini second dans le Kentucky Derby et troisième — avec Black Minx — dans le Preakness. Aujourd'hui... Mais sait-on jamais ? Il passera peut-être de la dignité de garçon d'honneur à celle de fiancé... officiel ! »

Un jockey commenta :

« Drôle de façon de parler d'un cheval ! Qu'est-ce qu'il a voulu dire ?

— Te casse pas la tête, fit un autre. Il croit tout bonnement que Wintertime va gagner.

— Alors pourquoi nous a-t-il fait tout ce baratin sur Éclipse ? Il nous l'a présenté comme le gagnant presque certain, pas vrai ? »

Force fut aux deux bavards de s'arrêter, car, abandonnant Wintertime, la caméra dévoilait Silver Jet, Golden Vanity, puis Black Minx. Essayant de brûler la politesse à Henry Dailey qui chevauchait Napoléon, la pouliche s'efforçait de dépasser Golden Vanity.

« Ah ! voilà Black Minx ! s'exclama le speaker. Elle porte le numéro cinq. Drôle de pouliche ! Elle semble aujourd'hui toute pétillante, bien réveillée et résolue à foncer. Et savez-vous pourquoi elle lutte afin de doubler Golden Vanity ? Simplement parce qu'elle veut rejoindre Wintertime. En réalité, Alec

Ramsay tente de la retenir. Oui, il la retient... mais sans la retenir, tout en la retenant ! Elle est très capable de provoquer une surprise en prenant la tête et en s'y accrochant jusqu'au bout. Pourtant, les pouliches ne sont pas censées gagner des épreuves comme le Belmont ou le Kentucky. Mais on ne l'a peut-être jamais dit à Black Minx. Si elle enlève le Belmont aujourd'hui, elle n'aura qu'une devancière, Ruthless, qui a accompli cet exploit en... 1867 ! Je dois aussi vous indiquer qu'elle porte cinquante-quatre kilos et demi, comme pour le Kentucky. Les mâles rendent trois livres à une représentante du sexe faible dans cette longue course de deux mille quatre cents mètres. »

Un jockey ricana :

« Il remet ça ! C'est presque le même boniment que pour Éclipse !

— Tu ne vas pas la fermer ? » grommela un autre jockey.

Peu après, les concurrents entrèrent dans les stalles de départ. Alors, dans la salle, le silence devint absolu.

Après les incidents habituels, ruades, dérobades, etc., les portes de derrière furent fermées. Puis, deux minutes plus tard, la cloche tinta, les portes de devant s'ouvrirent avec leur claquement métallique, et les concurrents bondirent en avant.

Dans la salle des jockeys, chacun, les yeux rivés sur l'écran, retenait son souffle.

Black Minx avait-elle senti, du fond de son instinct, la pression exercée par l'index du starter sur le bouton électrique commandant l'ouverture des portes ? En tout cas, elle avait jailli de sa stalle avant les autres concurrents. Et, immédiatement, elle agit à sa guise. On aurait cru que personne ne la montait. Elle se dirigea comme une flèche vers l'extérieur. Comme il n'y avait aucun concurrent sur sa gauche, elle ne gênait personne. Néanmoins, avec douceur et fermeté, Alec se hâta de la ramener au centre de la piste.

Dans la salle, Mike Costello murmura :

« Bien joué, Alec. »

Son voisin le plus proche hurla :

« Vas-y, mignonne, vas-y ! »

Black Minx, peut-être sur injonction d'Alec, raccourcit ses foulées. Et, naturellement, le peloton la rejoignit. Wintertime avait été l'un des premiers à sortir de sa stalle. Il le fut aussi à rattraper Black Minx, tandis qu'Éclipse le talonnait énergiquement.

La pouliche, secouant la tête pour se libérer de la pression du mors, obliqua à droite. Wintertime, stimulé avec vigueur par Billy Watts, se glissa dans une ouverture le long de la corde.

« Aujourd'hui, dit un lad, Billy n'a pas l'intention de rester en queue !

— Ted non plus ! » cria une voix.

C'était exact. Éclipse commençait à remonter Wintertime.

Black Minx força l'allure dès que Wintertime surgit sur sa gauche. Voyant cela, les tribunes hurlèrent de joie. Même s'il l'avait voulu, Wintertime ne pouvait s'éloigner d'elle, car Éclipse, placé juste derrière lui, le coinçait.

Commentaire d'un jockey devant l'écran :

« Elle tiendra. Elle a tout pour elle : vitesse, classe. Vas-y, mignonne !

— Si elle insiste, fit observer un autre jockey,

elle va se prendre les jambes dans celles de Winter-time !

— Et Éclipse, qu'est-ce qu'il fiche derrière eux ? » demanda un troisième jockey.

Silver Jet et Golden Vanity suivaient à environ trois longueurs. Leurs jockeys étaient sans doute vaguement inquiets. Cependant, la même pensée devait les rassurer : « Mieux vaut attendre. Dans la dernière ligne droite, nous serons encore frais pour démarrer. »

On entama l'ample premier tournant. Billy Watts tentait toujours en vain d'éloigner Wintertime de Black Minx. Alec, très calme, n'esquissait aucun mouvement. Il ne semblait pas encore prêt à exiger de la pouliche un effort supplémentaire.

Ted Robinson montrait le même calme qu'Alec, et Éclipse restait à la même distance des deux leaders. Puis, tout à coup, sur l'écran de télévision, son corps énorme les masqua aux spectateurs.

Mais l'image se déplaça et les jockeys purent voir de nouveau les concurrents qui, le tournant franchi, abordaient déjà la ligne droite. Silver Jet et Golden Vanity, comme prévu, démarrèrent. On les sentait néanmoins incapables de réduire la distance qui les séparait de Black Minx, de Wintertime et d'Éclipse. Leurs jockeys, sagement, les reprirent en main, attendant peut-être l'occasion de faire une autre tentative.

« C'est pas idiot d'attendre, dit quelqu'un dans la salle des jockeys. Je croyais qu'Alec Ramsay et Billy Watts en feraient autant. Ils devraient comprendre qu'ils sont en train d'asphyxier leurs chevaux.

— Qu'est-ce que tu fais d'Éclipse ? demanda un

autre jockey. Il est toujours là, pas vrai ? Et l'idée ne te vient pas qu'il est en train de s'essouffler lui aussi !

— Il ne donne pas tout ce qu'il a dans le ventre.

— Tu crois ça ? Regarde Ted Robinson. Il le sollicite sérieusement.

— En tout cas, il n'obtient pas un résultat bien brillant. À croire qu'Éclipse n'est pas vraiment un crack. »

Le dialogue s'arrêta là. Tous les jockeys se pressaient devant l'écran, les yeux rivés sur Éclipse. Le peloton se rapprochait du deuxième tournant. C'était là que les meilleurs montreraient leurs qualités. Il n'y avait plus que huit cents mètres à couvrir. Éclipse, plantant là ses concurrents, allait-il gagner tant bien que mal, ou brillamment, comme le champion vanté par la presse et soutenu par la rumeur publique ? Mais Wintertime et Black Minx pouvaient aussi, tête contre tête, enlever le morceau dans les derniers mètres... laissant Éclipse loin derrière eux. Et, comme tout était possible... il fallait enfin compter avec Golden Vanity et Silver Jet. À leur sujet, une seule question : possédaient-ils encore des réserves, un acharnement suffisant pour arracher la décision ?

Les concurrents, le tournant franchi en trombe, s'élançaient déjà dans l'ultime ligne droite, lorsque les spectateurs firent entendre un hurlement unanime, assourdissant : Éclipse, par bonds puissants, contournait les deux leaders ! Pour obtenir ce résultat, Ted Robinson s'était contenté de lui appliquer un seul coup de cravache. Le robuste poulain filait si bon train que, vus à distance, Wintertime et Black Minx semblaient cloués au sol. Les spectateurs virent Alec pousser la pouliche des bras, comme pour obtenir qu'elle relevât le défi d'Éclipse. Mais elle ne voulait rien entendre. Elle continua de galoper côte à côte avec Wintertime, à la même cadence que lui.

Depuis un moment, Billy Watts accordait un répit à Wintertime. Tout à coup, il employa tous les moyens à sa disposition, voix, cravache et jambes, pour le persuader de rattraper Éclipse. Ses efforts furent sans succès. Le nouveau leader s'éloignait dans un élan irrésistible.

Bientôt, dans la salle des jockeys, Éclipse apparut seul sur l'écran, nettement détaché, et déboulant tête basse, encolure tendue, vers l'arrivée. Deux fois, Ted Robinson se retourna sur sa selle. Il renonça ensuite à se montrer aussi exigeant avec sa monture. Si bien qu'il avait l'air d'un cavalier en promenade, quand Éclipse atteignit le poteau d'arrivée. De nouveau l'écran, se désintéressant du vainqueur, montra les autres concurrents. Golden Vanity galopait à une longueur devant Silver Jet. Et, loin derrière eux, Wintertime et Black Minx continuaient leur flirt.

« On dirait que Billy Watts retient Wintertime ! dit soudain un jockey. Wintertime a l'air blessé. Il boite. L'antérieur gauche. Vous ne voyez pas ? Il voudrait continuer. Mais Billy essaie de l'arrêter. Ça y est, il a presque réussi.

— Et la pouliche ! s'exclama un lad. Pourquoi en fait-elle autant ? Elle n'est pas blessée ! »

Ce fut seulement quand Wintertime ne bougea plus qu'Alec obtint de Black Minx qu'elle le dépassât. Les spectateurs la suivirent d'un regard attentif jusqu'à ce que, secouant la tête et au petit galop, elle eût terminé le parcours.

« Moi qui croyais qu'elle avait de la classe ! dit un jockey. Elle a tout juste une pointe de vitesse. Et encore, quand ça lui chante ! »

Mike Costello intervint d'un ton aigu :

« Tu te trompes ou tu n'as rien compris. Il faut plus qu'une pointe de vitesse pour gagner le Kentucky. Pour moi, elle n'est plus tout à fait la même. Quelque chose l'a détraquée. Mais quoi ? »

*
* *

Après le Prix Belmont, le silence régnait dans l'écurie de Wintertime. Il y avait là Miss Jane Parshall, la propriétaire ; Donald Conover, l'entraîneur ; Billy Watts, le jockey ; Ray Jenkins, le lad ; le vétérinaire de l'hippodrome. Il y avait aussi quelques autres personnes, parmi lesquelles Alec et Henry qui partageaient l'inquiétude générale. À voix basse, Henry demanda à Alec :

« Tu t'es occupé de la pouliche ? Tu l'as promenée ?

— Oui, murmura Alec. En outre, Mike Costello m'a proposé de nous donner un coup de main. »

Dans le box, une couverture sur le dos, Wintertime ne bougeait pas. À l'odeur de sa sueur se mêlait celle des médicaments. Son antérieur gauche était déjà enflé et brûlant au toucher. Son sabot hésitait à se poser sur la litière.

Tout le monde savait que ses tendons entre le genou et l'articulation du boulet étaient froissés ou déchirés, et que sa carrière était sans doute bien compromise...

« Est-ce grave ? » demanda Jane Parshall au vétérinaire.

Il hocha la tête :

« Je serai franc : j'ai peur qu'il ne puisse plus courir. »

La jeune femme pivota sur elle-même et quitta le box. Henry s'approcha d'elle :

« Jane, ne prenez pas cette affaire trop à cœur. Votre cheval a fait en somme plus que bien d'autres au cours d'une existence souvent plus longue.

— Je sais, Henry, répondit-elle avec émotion. Mais, voyez-vous, je l'aimais beaucoup. Il était si courageux. Il n'abandonnait jamais, même lorsqu'il se sentait battu. Quand l'accident est arrivé, il essayait de rejoindre Éclipse. Je l'ai vu déraper dans le tournant.

Donald Conover sortit du box à son tour.

« Il fera un bon étalon au haras, dit-il à la jeune femme. C'est comme ça qu'il faut voir le problème. Nous sommes des gens d'affaires. Nous obtiendrons pour Wintertime une somme importante et... »

Elle l'interrompit :

« L'argent ne m'intéresse pas. Nous placerons Wintertime là où il sera le mieux. Comme je regrette de ne pas posséder un ranch d'élevage ! »

Henry reprit la parole :

« Accepteriez-vous, Jane, de le vendre vingt mille dollars ? »

Alec sursauta et regarda son ami avec stupeur. Le ranch de l'Espoir n'avait pas besoin d'un autre étalon. En outre, vingt mille dollars était à peu près tout ce qu'ils avaient réussi à rassembler jusque-là pour la reconstruction de leur écurie incendiée. Bien sûr, Black Minx venait d'arriver quatrième dans le Prix Belmont. Pour la circonstance, elle recevait cinq mille dollars. Mais on était encore loin du compte !

« Je n'ignore pas, Jane, reprit Henry, que vous pourriez obtenir beaucoup plus. Cependant, vous venez de dire que vous souhaitez placer Wintertime là où il sera le mieux. Nous ne pouvons malheureusement pas vous offrir une somme plus importante. »

Jane Parshall consulta du regard son entraîneur. Tous deux, d'un simple mouvement de tête, exprimèrent leur accord. Alec se tourna vers l'extérieur et, par l'encadrement de la porte, il vit Mike Costello qui promenait Black Minx. Il se souvint alors que la pouliche, elle aussi, était destinée à regagner le ranch de l'Espoir. En tout cas, comme Wintertime, elle ne connaîtrait plus jamais la griserie des hippodromes. Décidément, à bien y réfléchir, Henry avait très habilement manœuvré...

Dans la soirée, il dit à Alec :

« Je suis peut-être un vieux fou. Mais tant pis ! Nous allons les expédier ensemble au ranch. D'ailleurs, entre nous, c'est ce qu'elle voulait, cette satanée pouliche ! »

Alec répliqua d'une voix égale :

« Les folies de ce genre, Henry... Bref, vous n'êtes pas aussi vieux que vous voudriez le faire croire. »

Chapitre 14

Toujours plus vite !

Seuls les après-midi furent différents pendant les jours qui suivirent. La saison à Belmont Park se terminait. Et bientôt allait s'ouvrir celle d'Aqueduct. Mais la plupart des chevaux restaient à Belmont, car Aqueduct, situé à une demi-heure de route de Belmont, ne disposait pas d'installations assez vastes pour donner asile à tout le monde.

Deux jours après le Prix Belmont, Henry dit à Alec :

« Tu m'en veux, n'est-ce pas, d'avoir acheté Wintertime ?

— Pas le moins du monde ! Nous sommes associés. C'est vous qui êtes chargé de la gestion de notre capital. Je crois comprendre pourquoi vous avez acheté Wintertime. Au fond, Henry, malgré vos airs bougons, vous êtes un tendre. Vous n'avez pas voulu que ce malheureux cheval...

— Tais-toi ! ordonna le vieil entraîneur.

— Bon, je me tais. D'ailleurs, que nous manque-t-il au fond pour reconstruire l'écurie ? Rien d'autre qu'un prix richement doté. Nous avons perdu Black

Minx. Mais il nous reste Black. Il est dans une forme parfaite. Avec lui, nous allons remonter la pente. Je dirai même que nous ferons des étincelles ! Black comblera notre déficit en cent foulées ! »

Gagné par la confiance et l'enthousiasme de son jeune associé, Henry eut un de ces sourires directs, presque naïfs, si rares chez lui.

Alec n'attendit pas pour se mettre à l'ouvrage. Dès le lendemain, en blue-jean et chemise à manches courtes, il conduisit Black sur la piste d'entraînement de Belmont. Le soleil commençait à se lever. Alec savourait l'air frais sur ses bras nus. Il y avait quelque chose de grisant dans cette solitude matinale. Le jeune jockey devinait à certains signes qu'il aurait quelque peine à tenir Black...

Près de lui, Henry faisait trottiner Napoléon.

« Donald Conover, dit-il, voudrait que nous nous occupions un peu de l'entraînement de Gunfire, son hongre bai... »

Tout en parlant, il ne regardait pas Alec. Il observait les sabots de Black.

« Il me semble, reprit-il, qu'il vient d'hésiter.

— Cessez de vous faire de la bile, Henry ! répliqua Alec avec irritation. S'il marchait mal, je le sentirais ! »

Il remarqua que le vieil entraîneur, généralement assez négligé, était presque vêtu avec élégance : pull-over, culotte et bottes impeccables. Il y avait là quelque chose de nouveau.

« Son hongre bai ? répéta Alec. Sur quelle distance veut-il que nous l'entraînions ?

— Sur mille deux cents mètres », répondit Henry sans quitter du regard les sabots de Black.

Il hésita, et revenant à la charge :

« Un faux pas, sans doute... On n'est jamais trop prudent. Tu sais aussi bien que moi qu'une course est une succession d'efforts considérables. »

À ce moment, l'étalon noir fit un écart. Alec faillit être désarçonné. Il ne répondit à Henry que lorsque Black eut repris une allure normale :

« Si nous ne pouvons pas l'entraîner, comment pourrions-nous le faire courir ? »

Henry resta un instant pensif, puis :

« Te sens-tu capable de le tenir ? Donald Conover estime que Gunfire, son hongre, a l'étoffe d'un gagnant. Il a été second trois fois derrière Casey.

— Pas de problème avec Black, dit Alec. Je le tiendrai.

— Alors, faisons un essai, jusqu'au premier tournant et retour ici », décida Henry.

Quand Alec raccourcit doucement les rênes, Black accentua encore la courbe de son encolure. Mais il ne secoua pas la tête et ne tenta pas de se dérober. Et, peu après, il partit au petit galop.

Tout le long de la piste, Henry ne cessa de l'observer. L'essai terminé, il dit à Alec :

« Je me trompais. Son canter a été tout à fait normal.

— Vous avez une fâcheuse tendance à vous inquiéter, Henry, répondit Alec.

— C'est vrai. Je perds trop de temps à me faire de la bile. »

À une centaine de mètres, Donald Conover les attendait avec le hongre bai Gunfire. Alec connaissait ce cheval. Gunfire avait déjà gagné beaucoup d'argent. Il possédait de telles qualités que Casey seul, jusque-là, avait réussi à le battre.

Donald Conover dit à Henry Dailey :

« Je vous sais gré de m'aider, Henry. Il faut le pousser sans ménagements. En ce moment, je n'ai pas un seul cheval qui puisse le faire galoper. »

Il se tourna vers Alec :

« Je ne te demande pas de lui résister. Au contraire ! S'il parvient à te précéder et, s'il sent qu'il peut rester en tête, cela lui sera utile pour sa prochaine course. »

Alec approuva :

« D'accord, Donald. Nous le talonnerons, mais nous resterons derrière lui. »

Donald Conover montra l'étalon noir :

« Tout de même, ça m'ennuie de transformer Black en un vulgaire cheval de jeu.

— Ça suffit comme ça ! cria soudain Henry. Maintenant, au travail ! »

Un lad montait Gunfire. Il partit au galop. Alec attendit que le hongre eût dix longueurs d'avance, puis il lança Black à sa poursuite. Mais, à maintes reprises, il dut le retenir. S'il l'avait lâché, l'étalon noir n'aurait fait qu'une bouchée de Gunfire. Pourtant, le hongre était un cheval de valeur, volontaire et toujours prêt à la lutte.

Ce fut surtout à deux cents mètres du poteau d'arrivée qu'Alec eut le plus de mal à calmer Black. Mais enfin, grâce à des efforts répétés, il parvint à laisser Gunfire « gagner » par plusieurs longueurs.

Puis, tandis que Donald Conover et le lad ramenaient lentement Gunfire aux écuries, Alec s'approcha d'Henry Dailey. Celui-ci lui dit d'un ton grave :

« Pied à terre, Alec. Tu vas dire que c'est chez moi une obsession. Mais je crois bien que je l'ai vu encore poser son pied avec précaution. L'antérieur gauche. Oui, l'antérieur gauche. »

Pendant tout le chemin jusqu'aux écuries, ils ne cessèrent de surveiller l'étalon noir. Ils ne remarquèrent rien d'anormal.

« Pourtant, je suis sûr ! insista Henry. Je téléphone au vétérinaire.

— Henry, vous dramatisez ! s'exclama Alec. Tant qu'il n'y aura rien de plus net, à quoi bon déranger le vétérinaire ? »

Mais Henry Dailey était têtu. Le lendemain matin, les quatre jambes de l'étalon noir étaient fraîches au toucher et paraissaient intactes. Henry n'en appela pas moins le vétérinaire. Celui-ci ne découvrit rien de suspect. Alors, Henry exigea des radios. Le résultat fut le même : rien, absolument rien.

« J'espère que vous êtes satisfait, Henry ? dit le vétérinaire. Quel émotif, quel inquiet vous êtes !

— Ce cheval est celui qui porte maintenant tous nos espoirs, rappela le vieil entraîneur.

— Ce n'est pas une raison pour trembler nuit et jour comme un lièvre ! »

Malgré ce conseil de sagesse, Henry, craignant toujours quelque ennui, arrêta l'entraînement. La semaine suivante, il n'autorisa que des promenades au pas. Au cours d'une de ces promenades, Alec passa le long d'un enclos où Mike Costello faisait brouter Casey.

« Tu sais ce qui est arrivé à Éclipse ? demanda le vieux jockey.

— Ma foi non », répondit Alec.

Après sa victoire dans le Prix Belmont, Éclipse avait fait partie du groupe assez restreint de chevaux qu'on avait envoyés à Aqueduct.

« Eh bien, reprit Mike, il participe samedi au Summer Festival Handicap. »

Alec ne cacha pas sa surprise. Il était rare qu'un trois ans fût engagé dans une course habituellement réservée aux chevaux d'âge.

« Casey est partant ? » demanda Alec.

Les yeux du vieux jockey brillèrent :

« Et comment ! J'espère bien que nous remettrons Éclipse à sa vraie place ! »

De retour à l'écurie, Alec raconta à Henry Dailey sa conversation avec Mike Costello. Henry eut un sourire narquois :

« Je croirai cela quand je l'aurai vu. Samedi, Mike aura fort à faire, et Casey, s'il ne veut pas rester dans les choux, devra drôlement se démener. Éclipse est sûrement encore dans la même forme que lorsqu'il a gagné le Belmont. Et il se moque de rivaliser avec des chevaux plus âgés que lui et plus expérimentés. Il a pris l'habitude de la victoire. Je le crois assez fort pour battre tous les autres, même Casey. »

*
* *

Le samedi suivant, Alec et Henry étaient à l'hippodrome d'Aqueduct. Mêlés à la foule, ils virent Éclipse s'apprêter à prendre le départ du Summer Festival Handicap. Éclipse avait contre lui dix concurrents réputés dans les épreuves de ce genre. Casey, cependant, ne figurait pas parmi ces derniers. Quelques heures plus tôt, comme il n'avait pas vidé sa mangeoire, son entraîneur avait préféré le réserver pour des handicaps comme le Carter et le Brooklyn, bien mieux dotés et qui n'avaient lieu que quelques semaines plus tard.

Quand fut annoncé le forfait de Casey, il y eut, dans les tribunes, une longue clameur de protestation. On était venu pour assister à un duel entre Casey et Éclipse, pour voir le jeune battre le vieux, ou inversement. Et voilà que le jeune déclinait la lutte !

Henry dit à Alec avec une mine dégoûtée :

« Ils ne changeront jamais. Ils sont comme des gosses qu'on prive de leur jouet. Ils voulaient un vrai combat, acharné, impitoyable. Ils l'auront. Mais quand ? Je n'en sais rien encore... »

Alec ne répondit pas. À quoi bon ? Il avait très bien compris. D'ailleurs, Henry ne semblait plus intéressé que par les chevaux qui apparaissaient l'un derrière l'autre sur la piste. Après le retrait de Casey, c'était Éclipse le plus chargé : soixante-trois kilos. Ensuite, venait Gunfire, le hongre bai de Donald Conover. Black s'était entraîné avec Gunfire quelques jours auparavant. Aujourd'hui, monté par Billy Watts, le hongre portait soixante kilos et demi.

« La foule semble d'accord avec les handicapeurs, dit Alec. En chargeant Éclipse de cette façon, ils le traitent comme s'il était absolument le meilleur. À mon avis...

— Patience, coupa Henry. Dans une minute, nous saurons qui a raison. »

Les deux amis ne tardèrent pas à être fixés et de façon indiscutable. Éclipse jaillit de sa stalle de départ avant tous les autres concurrents et, pour la première fois de son existence, il prit immédiatement la tête du peloton. Ted Robinson, son jockey, s'acharnait à le freiner, dans l'espoir de le réserver pour l'assaut final. Mais tous ses efforts furent inutiles. Éclipse semblait animé d'un acharnement invincible. Il parcourut à une vitesse stupéfiante la première ligne droite, le tournant, puis la deuxième et dernière ligne droite. Tous les spectateurs, debout, le regardèrent en silence franchir seul la ligne d'arrivée.

Puis les acclamations éclatèrent, par vagues interminables. Et elles redoublèrent quand le tableau des résultats annonça en chiffres lumineux qu'Éclipse, dans cette épreuve de mille quatre cents mètres, venait de pulvériser le record établi par Black le mois précédent, à l'occasion du Speed Handicap !

Chapitre 15

Comme une fusée !

Quand Alec traversa la rue, il fut salué d'un geste amical par le policier de service au croisement. Et, lorsqu'il entra dans le drugstore, il entendit une voix prononcer :

« Tiens, voilà Ramsay. »

C'était la première fois qu'on le traitait de la sorte. Naguère encore, il pouvait se promener partout en ville sans être reconnu. Ce changement, il le devait — ainsi qu'Henry — au retour de Black.

Dès qu'il eut trouvé une place libre, il s'assit et commanda un repas aussi léger que possible : un steak avec une tomate et quelques feuilles de laitue. Il n'oubliait pas qu'un jockey ne doit jamais manger tout à fait à sa faim.

Quelqu'un, qui était placé dans son dos, lui dit :

« Tu as tort de t'astreindre à un tel régime. Sur un cheval comme Black, le poids importe peu. »

Alec se retourna et se trouva nez à nez avec Billy Watts.

« Si je me mettais à manger comme j'en ai envie, répondit-il en souriant, je ne serais jamais rassasié.

Et j'aurais continuellement des scènes terribles avec Henry !

— Moi, reprit Billy Watts, j'ai un autre souci, et de taille ! »

Alec avait coutume de ne jamais poser de questions indiscrètes. Il aurait pu rappeler à Billy Watts qu'il n'avait pas trop à se plaindre, ayant obtenu sur Gunfire la place de second derrière Éclipse, dans le Summer Festival Handicap. Mais il choisit un autre sujet :

« Hier soir, dit-il, nous avons téléphoné à notre ranch. Wintertime va bien. Nous avons d'ailleurs là-bas un très bon vétérinaire.

— J'en suis ravi », répondit Billy Watts.

Après quoi, pendant quelques instants, tous deux mangèrent dans un silence vaguement gêné. Alec fut le premier à reprendre la parole :

« Le bruit court qu'Éclipse a ridiculisé tout le monde, jockeys, entraîneurs, handicapeurs... Que penses-tu de lui ?

— Pour son âge, c'est anormal, ce qu'il a fait. Une victoire comme celle-là ! Je crois que c'est le meilleur trois ans que j'aie jamais vu.

— C'est ce qu'on dit un peu partout.

— Pourtant, cette course n'était pas très importante pour lui, ajouta Billy Watts. Simple préparation au Dwyer qui a lieu samedi prochain. Et là, c'est le gros paquet !

— S'il a, dans le Dwyer, autant de chance que dans le Summer, il faudra Casey et Black pour le battre.

— C'est une course que j'aimerais voir, dit Billy Watts. Mais je me demande si son entraîneur prendra de tels risques...

— Les choses se seraient peut-être passées autrement, commenta Alec, si Casey avait été parmi les partants samedi dernier.

— C'est sûr. À propos de Casey, tu crois vraiment qu'il est malade ?

— Malade..., répéta Alec. Pas exactement. Je pense qu'il a avant tout besoin de courir. Ce matin, j'ai vu Mike Costello l'entraîner à fond. Il devrait courir lundi le Carter Handicap.

— Black aussi, n'est-ce pas ?

— Si Henry accepte le poids qui lui sera attribué. Surtout contre un concurrent comme Casey. »

Billy Watts attendit quelques secondes avant d'insinuer :

« Soixante-dix kilos... Crois-tu qu'Henry accepterait ? On prétend que cette année un poids aussi élevé ne serait pas impossible... »

Alec sursauta :

« Comment as-tu appris ça ?

— Les poids ont été publiés il y a une heure environ.

— Je n'étais pas ici. J'étais à Flushing. Quel poids pour Casey ?

— Soixante-sept et demi.

— Alors, Black ne courra pas, laissa tomber Alec. Henry n'acceptera jamais. Tu te rends compte : soixante-dix kilos !

— Ce n'est pas mon affaire ! interrompit Billy Watts avec brusquerie. C'est la tienne et celle d'Henry. J'ai seulement pensé que je te rendrais service en te mettant au courant. D'ailleurs, autant te l'avouer — et tu vas être le premier à l'apprendre : les courses, pour moi, c'est fini.

— Tu plaisantes ?

— Non.

— Pourtant, j'ai entendu Donald Conover dire que tu monterais Gunfire dans le Carter ?

— C'est lui qui décidera. Après, fini.

— Qu'est-ce que tu feras ? »

Billy Watts haussa les épaules.

« Veux-tu travailler pour nous ? demanda Alec.

— Les courses, j'en ai assez. Je l'ai pourtant dit clairement.

— Je t'offre de travailler à notre ranch, précisa Alec.

— Qu'est-ce que j'y ferais ?

— Tu t'occuperais des poulinières. L'emploi est vacant.

— L'emploi du type qui est responsable de l'incendie de votre écurie ?

— Oui. Tu pourrais aussi commencer à dresser les poulains. »

Le visage de Billy Watts s'éclaira :

« Je n'en demande pas plus. Merci de ta proposition, Alec. Elle m'intéresse beaucoup. »

*

* *

Vers la fin de cette journée, Alec, de retour à l'écurie, trouva quelques journalistes rassemblés devant le box de Black. La porte était fermée. Et, derrière elle, il y avait Henry qui, à travers le grillage, répondait, sans amabilité excessive, aux questions posées par les visiteurs.

« Black va bien ? demandait un journaliste.

— C'est ce que prétend le vétérinaire. Moi, je n'en suis pas si certain... De toute façon, il ne courra pas avec soixante-dix kilos sur le dos !

— Alors, on ne le verra pas dans le Carter ? »

Henry ne répondit pas. Les journalistes se tournèrent vers Alec. Celui-ci leva les mains :

« Ce n'est pas moi le patron. C'est lui. »

Après une dizaine d'autres questions, les journalistes se retirèrent, à demi satisfaits. Mais ils connaissaient Henry Dailey. Ils le savaient peu bavard, habile, parfois rusé — d'une ruse toute professionnelle. En tout cas, ils avaient pu se rendre compte que Black, qui, dans la pénombre de son box, allait et venait sous leurs yeux, tenait parfaitement sur ses quatre jambes. Quand ils partirent, Alec les accompagna jusqu'à la sortie de l'écurie et, pour réparer un peu la rudesse du vieil entraîneur, leur confia :

« Je sais que le bruit a couru que Black était blessé. Je l'ai entraîné ce matin, très tôt. Je puis vous assurer qu'il est en possession de tous ses moyens. »

Le samedi suivant commença le long weekend de l'Independence Day. La chaleur était intense. Éclipse apparut dans le Prix Dwyer, réservé aux trois ans. Il n'avait que deux concurrents, lesquels ne figuraient dans cette épreuve que pour ramasser les sommes assez substantielles attribuées au deuxième et au troisième.

« Si j'avais un poulain de trois ans, dit Henry, je ne voudrais pour rien au monde l'engager dans une épreuve aussi ridicule. Il ne faut humilier personne... Surtout pas les chevaux. »

Il parlait d'or. En effet, la participation d'Éclipse à cette mascarade n'ajouta rien à sa gloire. Il y avait quarante mille spectateurs, tous convaincus qu'il triompherait avec la plus grande facilité. Il ne les déçut pas. Dans ce combat dérisoire, il gagna de façon spectaculaire, démontrant une fois de plus qu'il méritait son titre de champion des champions...

La distance était de deux mille mètres. Éclipse se joua littéralement de ses concurrents. Jusqu'à l'entrée de la dernière ligne droite, son jockey, un nommé Seymour, manœuvra pour l'empêcher de prendre la tête.

Henry considéra ce procédé comme indigne d'un poulain de haute valeur comme Éclipse.

« Ces deux chevaux qui se coupent la gorge sont peut-être fichus à jamais, grommela-t-il. J'en ai vu plusieurs qu'on avait traités de cette façon. Ils rentrent claqués et ne reparaissent plus sur les hippodromes. Seymour veut-il prouver qu'il est capable de gagner quand ça lui plaira ? »

Alec, lui aussi, était furieux :

« Il a sans doute reçu l'ordre de ne démarrer qu'à la distance ? suggéra-t-il, sarcastique. Contre deux rivaux déjà à moitié morts ! Quelle comédie ! »

La manœuvre finale eut lieu à quatre cents mètres de la fin. Mais Seymour ne lâcha pas encore sa monture. Au contraire, il la freina. Il la contraignit à se placer derrière les concurrents, puis à déboîter. Alors, il la laissa s'envoler... comme une fusée !

De tous les spectateurs des tribunes, seuls Alec et Henry se retirèrent.

« Donner 37 000 dollars à un cheval de cette façon, c'est lamentable ! » fit Henry méprisant.

Alec approuva d'un mouvement de tête et répondit, en suivant le vieil entraîneur vers la sortie :

« N'oublions pas que nous avons, à l'écurie,

quelqu'un qui devrait, lundi, nous faire gagner 45 000 dollars ! Allons vite le voir.

— Tu as raison, reprit Henry. Attention quand même — ce gros paquet, j'ai l'impression que Casey rêve de nous le rafler !

— Nous serons plus rapides que lui, affirma Alec.

— J'y compte bien, répliqua Henry. De toute façon, ce ne sera pas une course comme celle-ci ! »

Chapitre 16

Le canon
de l'Independence Day

Lundi, la chaleur fut encore plus intense, mais surtout plus humide que le samedi précédent. Trente-cinq mille personnes avaient pris place dans les tribunes d'Aqueduct, attirées par le duel que Black et Casey allaient se livrer dans le Carter Handicap.

Alec, après quelques instants passés à l'écurie, se rendit à la salle des jockeys. Il savait que la piste avait été arrosée et que, malgré cette précaution, elle restait trop dure pour être vraiment rapide. Dans la salle, les jockeys étaient nombreux. Il échangea quelques mots à droite et à gauche, puis, apercevant Billy Watts qui était en train d'examiner sa casaque rouge et verte comme s'il la voyait pour la première fois :

« Salut, Billy, dit-il. Qu'est-ce qui se passe ?

— Ma casaque est déchirée en plusieurs endroits.

— Bah ! fit Alec, souriant, ta fiancée la réparera. »

Mais Billy Watts ne semblait pas facile à dérider.

« Aucune importance, répliqua-t-il d'un air

sombre. Tu sais bien que c'est la dernière fois que je me déguise en jockey. Je ne veux plus surveiller mon poids, obéir à des ordres. Fini tout ça, fini ! »

Alec ouvrit son placard en pensant : « Fini aussi tout le reste : la peur de tomber, d'avoir le crâne fracassé par des sabots ferrés, la terreur de la mort violente. Bientôt, Billy, tu n'auras plus à te soucier que de nos poulinières et de leurs petits... »

Il achevait de s'habiller quand revinrent les jockeys de la quatrième course. Puis ce fut la sortie de ceux qui participaient à la cinquième.

Parmi les jockeys de la quatrième, certains se dirigeaient vers les douches. D'autres formaient de petits groupes et discutaient avec véhémence.

Un garçon, trop lourd et trop grand pour rester longtemps encore dans le métier, se détacha d'un des groupes et vint s'asseoir sur le petit banc où Alec mettait ses bottes.

« Qui Henry Dailey croyait-il tromper ? interrogea-t-il.

— À quoi fais-tu allusion ? demanda Alec.

— Henry a bien dit que Black ne prendrait pas part au Carter ? Or, hier, il l'a déclaré partant. Tout le monde savait qu'il ne tiendrait pas parole. Mais pourquoi a-t-il fait ça ? »

Alec regarda dans le vague :

« Il arrive que je ne sache pas moi-même pourquoi Henry agit de telle ou telle façon. Si tu tiens vraiment à être renseigné, pose-lui toi-même la question.

— Jamais de la vie ! s'exclama l'autre. Pour rien au monde, je ne veux avoir affaire à Henry Dailey. S'il me proposait de monter pour lui, je refuserais,

142

même s'il m'offrait le cheval en prime. Ce type-là me fait peur. Je ne plaisante pas ! »

Alec ne se permit même pas de sourire. La salle se vidait. Il était temps de partir. À une dizaine de mètres, Mike Costello était plongé dans la lecture d'un magazine. Il le posa sur son banc et se dirigea vers la porte. En passant devant Alec, il lui jeta un coup d'œil, sans lui adresser la parole. Peu après, Alec lui emboîtait le pas.

*

* *

Quelques minutes plus tard, c'était la pesée. Une voix monotone psalmodiait :

« Ramsay, numéro treize. Soixante-dix kilos. Au suivant... Watts, numéro sept. Soixante kilos. Au suivant... Costello, numéro trois. Soixante-sept kilos cinq cents. Plus vite, messieurs ! Nous sommes déjà en retard. Au suivant... Au suivant ! Smith, numéro seize. Cinquante kilos... »

Alec venait de fixer son numéro — le treize — tout en haut de son bras droit. Treize... Il découvrit, à trois ou quatre pas, Billy Watts qui regardait le numéro d'un air inquiet...

« Songe à tous les bons repas que tu vas pouvoir faire maintenant ! se hâta de lui dire Alec. Plus de pesées, plus d'embêtements. Veinard ! »

Mais Billy Watts ne répondit pas et garda la même expression angoissée. Alors, Alec tourna les talons et se dirigea vers le paddock où il savait qu'Henry et Black devaient s'impatienter.

Dans le paddock, sous l'auvent portant le numéro treize, Black s'offrait à l'admiration d'une centaine de personnes. Il était en sueur, mais pas plus que la plupart des autres chevaux, y compris Casey.

Henry expliqua à Alec :

« Il est nerveux. Il n'en peut plus d'attendre. Je crois qu'il supporte mal tous ces gens autour de lui. »

Alec s'approcha, caressa les naseaux de l'étalon noir.

« Je ne suis pas tout à fait d'accord, répondit-il. Je crois au contraire qu'il aime la foule et que... »

Henry l'interrompit :

« Voilà qui serait assez nouveau ! J'aime mieux qu'il reste tel qu'il a toujours été. La pouliche m'a guéri à jamais des cracks qui aiment la foule. »

Une cloche sonna, appelant les concurrents aux stalles de départ. Henry aida Alec à sauter sur Black. Lui-même se hissa sur Napoléon.

« Quelles instructions me donnez-vous ? demanda Alec.

— Fais ce que tu jugeras bon », répondit Henry.

Tous deux sortirent du paddock et prirent place dans la file qui commençait à se former. Billy Watts les dépassa au petit galop.

« Tu as vu comme il est pâle ? fit Henry. Et ce visage crispé ! Qu'est-ce qu'il a ?

— Je ne vois pas ce qu'il pourrait avoir, répondit Alec. En tout cas, il faut que je vous dise que je lui ai offert un emploi au ranch. Il a accepté. »

Le commentaire d'Henry fut bref :

« Tiens, tiens. »

Dans son esprit, rien ne pouvait expliquer le départ à la retraite d'un jockey encore très capable de faire le poids et d'obtenir des montes.

Ce fut au tour de Mike Costello, sur Casey, de

dépasser les deux amis. Black hennit comme s'il avait deviné que Casey était pour lui le rival à battre. Mike Costello leva sa cravache pour saluer Henry et Alec.

Henry répondit d'un signe de tête et conseilla à son compagnon :

« Je ne saurais trop te répéter que tu n'as rien à attendre de Mike. Pas le moindre service. Même s'il t'aimait comme un père, il ne te céderait pas un millimètre de piste.

— Ça ne me servirait à rien, dit Alec. Cette épreuve va se disputer entre les chevaux, non entre les jockeys.

— Ouais, fit Henry. Ce sont les chevaux qui vont courir. Mais beaucoup de spectateurs croient au contraire qu'il s'agit d'une sorte de compte qui va se régler entre toi et Mike Costello. »

Alec sourit :

« Les spectateurs oublient que nous serons seize jockeys sur la piste ! »

Peu après, Henry dit encore :

« Mille quatre cents mètres : une course de ce genre n'exige qu'une qualité, la vitesse. Casey a été cette saison le premier à établir un record. Éclipse l'a battu. À vous deux, Black et toi, de le battre de nouveau. »

Quand Black apparut sur la piste, il fut salué par une ovation. Peut-être surpris, il fit un écart, heurta Napoléon de toute sa masse et faillit faire perdre les étriers à Henry. Celui-ci eut du mal à garder son équilibre.

« Ouf ! fit-il. Je l'ai échappé belle ! »

La parade traditionnelle commençait. Les concurrents défilèrent au pas devant les tribunes.

Alec aurait aimé les examiner tous, car il n'en connaissait que quelques-uns. Mais le temps lui manquait. Et puis, à quoi bon faire des projets, imaginer une stratégie ? Comme Henry l'avait dit, une course de mille quatre cents mètres exige surtout de la vitesse et de la puissance. Mais cette course était très richement dotée. D'où le nombre élevé des concurrents. Dans une épreuve de ce genre, n'importe quoi pouvait se produire... Les gagnants méritaient bien leur récompense !

« Fais ce que tu jugeras bon », avait dit Henry. En l'occurrence, le conseil était excellent. Alec se promit de prendre la tête dès que possible et de s'y maintenir. Aujourd'hui, pas question de retenir Black. Rien que de la vitesse !

Casey avançait au premier rang de la file indienne. Sa robe était aussi luisante de sueur que celle de Black. Elle prenait au soleil des reflets dorés, tandis que ses muscles jouaient sous sa peau bien tendue. Un très beau cheval certes, et visiblement en forme. Depuis la fin du printemps, il avait gagné, sous de très gros poids, cinq courses importantes et battu record sur record. À la vérité, il paraissait de plus en plus robuste à mesure que la saison s'avançait. Toutefois — détail important — c'était la première fois qu'il ne portait pas le poids le plus élevé. On pouvait donc en déduire que...

Alec fut tiré de ses pensées par Henry qui lui disait :

« Je ne vais pas plus loin. C'est ici que nous nous séparons. »

Son regard se posa sur le numéro treize qu'Alec portait en haut de son bras.

« Heureusement, ajouta-t-il, que nous ne sommes pas superstitieux !

— Jet Pilot, lui rappela Alec, a gagné naguère le Kentucky Derby en démarrant de la treizième stalle.

— Ta mémoire, Alec, est meilleure que la mienne. Bonne chance ! »

La plupart des chevaux étaient déjà dans leurs stalles. Un aide starter accourut vers l'étalon noir. Tout se déroulait dans une atmosphère de hâte fiévreuse. En voyant s'approcher l'employé, Black se cabra. L'homme, effrayé, recula.

« Ne bougez pas, lui dit Alec. Je vais le faire entrer moi-même. »

Lorsqu'il fut dans la stalle numéro treize, Alec regarda autour de lui. Il aperçut Billy Watts, toujours aussi blême. Gunfire semblait nerveux. Billy l'empêchait de se jeter trop violemment contre les parois capitonnées. Un peu plus loin, Mike Costello et son cheval Casey gardaient une immobilité étrange : on les aurait dits taillés dans la pierre.

Puis, soudain, ce fut le tintement de la cloche. La foule, dans les tribunes et le long des barrières, attendait impatiemment le démarrage du Carter Handicap. Les seize concurrents bondirent hors de leurs stalles, se bousculant, se jetant les uns contre les autres, tandis que plusieurs jockeys hurlaient pour exiger qu'on leur laissât le passage.

Black, lui aussi, avait manqué son départ. Comme il s'élançait vers l'extérieur, Alec dut le ramener en pleine piste. Il s'aperçut alors que le peloton s'était déjà formé en une pointe de flèche. En tête, galopait un poids léger, le numéro six. Cet illustre inconnu paraissait bien décidé à gagner la course. Il arrive quelquefois que les chevaux sans titre ravissent ainsi la victoire à ceux qui la considèrent comme leur bien.

Le numéro six menait donc, détaché. Il avait une avance de deux longueurs sur le peloton, et il l'augmentait sans cesse du galop sûr et rapide d'un sprinter de bonne classe. Alec se demandait si Black, qui portait environ vingt-deux kilos de plus, pouvait — après un mauvais départ — le rattraper.

Dans la partie droite de la piste, il y avait un autre cheval qui, comme le six, avait bien démarré. Brusquement, il obliqua et, pour rejoindre le leader, il coupa la route à Black. Alec remarqua qu'il avait le numéro seize et était monté par le jockey Smith. Et il se souvint que le numéro seize ne portait que cinquante kilos.

Il ne tenta pas de se rapprocher de la corde. Il n'avait aucune envie de chercher un raccourci. Ce qu'il voulait, c'était surtout que Black eût toute la place pour évoluer à son aise. Or, au centre de la piste, il disposait de tout l'espace souhaitable. Et puis, on était au début de la course. Bien des choses pouvaient encore changer.

Alec attendit patiemment que l'étalon noir eût trouvé la bonne cadence. En même temps, non sans inquiétude, il observait sur sa gauche le tumultueux peloton d'où s'élevaient des cris injurieux ou menaçants. Seuls Black et les deux petits poids — le six et le seize — échappaient à cet enfer. Mais, au fait, où se cachait donc Casey ?

Se retournant à demi sur sa selle, Alec l'aperçut enfermé à l'arrière-garde du peloton. Mike Costello tentait désespérément de le dégager.

D'un claquement de langue, Alec invita Black à

accélérer. Ainsi, quand Mike Costello réussirait à dégager Casey, l'étalon noir aurait déjà rattrapé les deux leaders. Et Casey, pas plus d'ailleurs que n'importe quel autre, ne serait capable de le rejoindre.

Black galopait de plus en plus vite, tandis que les leaders, pourtant moins chargés que lui, commençaient à donner des signes de fatigue. Bientôt, il les dépasserait. Alec savait qu'il en serait ainsi quand on s'engagerait dans le tournant. À Aqueduct, les tournants étaient très relevés et bien plus serrés qu'à Belmont Park. Black avait sans doute senti ce qu'Alec attendait de lui. En effet, il pointa soudain ses oreilles et se dirigea vers le haut du tournant, tandis que la distance entre lui et les deux leaders paraissait se creuser.

« À nous maintenant ! » hurla Alec.

Il posa sa main gauche sur l'encolure de Black pour l'encourager. L'allure devenait si rapide qu'Alec se méfiait. Il ne voulait pas que Black fût déporté jusqu'à la grille du pesage. Lorsqu'il se trouva presque à l'entrée de la ligne droite, il vit que les deux leaders prenaient leur virage trop au large. Ils avaient laissé, le long de la corde, une ouverture assez étroite. Une seconde, Alec imagina de s'y engouffrer...

Mais, comme un cheval, à cet instant, surgissait sur sa gauche, il renonça à cette manœuvre. Elle était trop risquée. Et puis, il était maintenant en position favorable pour dépasser les leaders dès qu'ils aborderaient la ligne droite. « Black va gagner sans difficulté, pensait-il. Contrairement à Mike Costello et à Casey, nous n'avons pas eu d'ennuis jusqu'ici. Tout cela — et c'est bizarre tout de même ! — parce que nous avons pris un mauvais départ. »

Immobile sur sa selle, il avait raccourci les rênes pour mieux tenir Black dans le tournant. Derrière lui, il entendait le peloton : roulement des sabots sur le sol, cris des jockeys. Il était heureux d'être presque en tête et d'avoir, en tout cas, échappé à cette mêlée !

À sa gauche, galopait toujours le cheval qui, juste avant le tournant, avait pu se dégager du peloton. Pour la première fois, Alec lui jeta un regard de biais. Il fut très surpris : ce cheval cravaché vigoureusement par son jockey n'était autre que le hongre Gunfire ! Quant à Billy Watts, impossible de voir son visage, car il était couché sur l'encolure.

Alec se demanda pourquoi Billy n'avait pas, pour essayer de s'échapper, attendu la ligne droite. Puis il découvrit que Gunfire tendait la tête vers l'étroit passage près de la corde, et il comprit que son jockey avait décidé de tenter la percée à laquelle il avait lui-même renoncé !

Toujours du même regard de biais, il vit Gunfire plonger vers l'ouverture. Si Billy Watts réussissait à s'y glisser, il serait le seul concurrent à battre. S'il échouait, il se retrouverait « dans la boîte », bref, il serait dans un beau pétrin.

De fait, Billy Watts n'eut pas le temps de stopper Gunfire lorsque les leaders, après le tournant, se rabattirent soudain vers la corde. Plus de couloir, plus de passage ! Le visage toujours aussi blême, Billy se redressa et, debout sur ses étriers, tira à fond sur les rênes. Gunfire faillit tomber. Pourtant, il parvint à demeurer sur ses jambes et, tout de suite, il se remit à galoper.

Alec, qui allait côte à côte avec Billy Watts, découvrit tout à coup que sa selle commençait à tourner ! Des courroies avaient dû se détendre quand il avait tenté d'arrêter son cheval. Maintenant, Gunfire fonçait de nouveau de toute sa puissance. Billy était déséquilibré, rapidement il vida ses étriers.

Et, derrière eux, à une cinquantaine de mètres, le peloton se rapprochait de seconde en seconde. Des tonnes de muscles et ces fers tranchants... auxquels Billy croyait, dès le lendemain, échapper à jamais...

Alec se rapprocha encore du hongre qui galopait livré à lui-même. Il saisit Billy Watts par l'épaule, l'aida à se redresser. Mais il ne pouvait plus le lâcher : la selle avait complètement tourné. Elle se trouvait sous le ventre de Gunfire, et les étriers se balançaient dangereusement entre ses jambes. Si l'une d'elles se prenait dans un étrier, le hongre culbutait. Pour Billy Watts, la seule chance de salut était de s'accrocher à Alec... si Black ne s'abattait pas lui aussi.

Les deux chevaux continuaient flanc contre flanc. Black soufflait bruyamment, comme pour protester contre le mors qui lui sciait la bouche. Alec s'acharnait à maintenir Billy Watts sur le hongre et à ne pas perdre lui-même un équilibre si fragile. Brusquement, les deux cavaliers perdus se virent plongés dans un tourbillon, enveloppés par la masse hurlante du peloton. Pendant une seconde, Alec crut apercevoir Mike Costello qui se faufilait entre eux et les « assaillants » et s'efforçait de les maintenir à distance. Mais ne s'agissait-il pas d'une illusion, d'un espoir un peu naïf en un vieil homme qu'on ne pouvait s'empêcher de croire bienfaisant ? Au reste, Alec n'avait pas le temps d'observer ce détail, même rapidement. Il était trop occupé à garder son équilibre et celui de Billy Watts.

Il n'entendit pas non plus le formidable rugissement que poussèrent les tribunes quand il n'y eut plus, pour lui-même et son protégé, le moindre danger d'être renversés et piétinés. Puis un tonnerre d'applaudissements salua Casey à partir du moment où, s'arrachant au peloton, il couvrit comme un bolide les derniers quatre cents mètres.

Plus tard, on l'appela le « canon de l'Independence Day ». Des journaux écrivirent : « L'explosion du canon Casey a dû être entendue du monde entier, car elle annonçait un exploit et un record qu'il sera difficile de battre. »

Alec, lui, n'avait perçu que les ricanements de la mort. Rien de plus normal quand deux jockeys accrochés l'un à l'autre galopent à tombeau ouvert.

Sur le moment, Alec ne se soucia guère de connaître le nom du gagnant. Il leur suffisait, à Billy Watts et à lui-même, d'être sortis de ce drame vivants et indemnes.

Chapitre 17

Une fête

Ce soir-là, les jockeys organisèrent une petite fête dont l'invité d'honneur était Alec Ramsay. Pour le remercier d'avoir empêché un accident qui aurait pu être fatal, ils lui offrirent une élégante montre-bracelet en or.

La petite fête terminée, Alec rejoignit Henry Dailey à Belmont Park. Il le trouva assis sur une marche du perron de leur maison. La nuit était proche. Pas un bruit. Sauf, de temps à autre, provenant d'une des écuries, le hennissement étouffé d'un cheval.

« Ça s'est bien passé ? » demanda Henry.

Alec désigna à son poignet, le cadran lumineux de la montre.

« C'est gentil de leur part, n'est-ce pas ? »

Henry grogna :

« Ce n'est pas la montre qui m'intéresse. Il s'agit de quelque chose de bien plus important qu'un banal cadeau.

— Oh ! vous savez, dit Alec, n'importe lequel d'entre eux en aurait fait autant.

153

— Je l'espère... Je ne suis plus jeune, certes. N'empêche que je n'ai pas oublié qu'il existe une solidarité entre jockeys. Cette solidarité ne cesse jamais d'exister, même lorsque vous luttez pour la victoire. »

Alec s'assit près du vieil entraîneur :

« De toute façon, on ne peut pas laisser quelqu'un se faire piétiner. On lui porte secours, même si on sait que ce geste vous fait perdre beaucoup d'argent.

— Laisse tomber, dit Henry. Je t'ai déjà dit que nous réunirions la somme dont nous avons besoin.

— Nous sommes encore loin des cent mille dollars !

— Pas si loin que tu le penses... à condition, naturellement, que Black tienne le coup.

— Pourquoi dites-vous ça, Henry ? demanda Alec, étonné.

— Son antérieur gauche. Je suis embêté. Il a encore marqué une hésitation, cette fois en entrant dans son box.

— Ce doit être une illusion, Henry. Il fait la même chose quand il court. On croirait qu'il change de pied. Pas du tout. C'est une sorte de jeu.

— J'espère que tu as raison.

— J'ai raison cent fois, mille fois !

— Ce qu'il faudrait aussi, reprit Henry, c'est que les handicapeurs lui attribuent des poids raisonnables.

— Après sa victoire d'aujourd'hui, c'est Casey qui, dorénavant, sera le plus chargé. »

Henry approuva de la tête.

« C'est vrai. Dans les derniers quatre cents

mètres, il a presque ridiculisé les autres. Je n'ai jamais vu une course se terminer de cette façon. »

Alec jeta un coup d'œil à sa montre :

« C'est à Mike Costello que nos collègues auraient dû la donner... pour avoir empêché le peloton de nous écraser. »

Encore une fois, Henry approuva :

« Il vous a sûrement protégés. Toutefois, Alec, ne lui donne pas ta montre. C'est tout ce que te rapporte le Carter. Mike, lui, a son pourcentage sur le prix ! Ta montre en or vaut tout de même beaucoup moins. »

Puis, se reprenant, Henry ajouta :

« Mais, comme je te le disais tout à l'heure, elle vaut infiniment plus que n'importe quoi... sur le plan moral ! »

Les deux amis restèrent un moment silencieux dans la pénombre. Enfin, pour changer de sujet, Alec demanda :

« La prochaine course, c'est quoi ?

— Le Brooklyn Handicap. Il a lieu samedi. Nous ne pouvons pas laisser toutes les courses de cinquante mille dollars nous filer sous le nez, n'est-ce pas ?

— Naturellement, dit Alec. Et, bien sûr, je vais retrouver Casey ?

— Oui. Pour lui, c'est l'épreuve la plus importante. Il a gagné le Metropolitan et le Suburban. Pour faire une passe de trois, il ne lui manque que le Brooklyn.

— Une Triple Couronne de handicaps, ironisa Alec qui ajouta : Casey est bien capable de gagner le Brooklyn. Deux mille mètres... C'est une distance assez longue si on la compare aux mille six cents mètres du Metropolitan. Mais Casey sait avoir, quand il le faut, soit du fond, soit de la vitesse.

— Nous aussi ! s'exclama Henry en martelant les syllabes. Black fonçait quand Billy Watts a eu besoin que tu lui donnes un... un coup de main. »

Et, changeant de ton :

« À propos de Billy Watts, il est toujours d'accord pour travailler chez nous ?

— Plus que jamais, répondit Alec. Il part demain matin pour le ranch.

— Là-bas, ce n'est pas l'ouvrage qui lui manquera », conclut Henry.

La nuit était tombée. Tous deux se levèrent et gagnèrent leurs chambres.

En s'endormant, Alec était persuadé que Black participerait le samedi suivant au Brooklyn Handicap. Mais, le lendemain matin, Henry changea d'avis. Pas de Brooklyn pour Black !

Le changement se produisit en un éclair, dès que le vieil entraîneur put consulter, dans un journal, la liste des poids attribués aux chevaux qui participeraient à cette grande épreuve. Quand il découvrit que Black devait porter soixante-treize kilos, Henry prononça à mi-voix tout un chapelet de jurons. Puis la décision tomba :

« Il ne courra pas ! »

Alec ne posa pas de questions. Il se contenta de prendre le journal qu'Henry froissait dans sa main. Il comprit tout de suite la raison de la fureur de son vieil ami : soixante-treize kilos pour Black et... soixante-huit pour Casey !

« Tu vois ça ? rugit Henry. Ces gens sont fous à lier ! Tu sais ce que nous allons faire ? Nous allons partir loin d'ici, là où nous serons traités correctement. J'ai eu tort de croire que Black pouvait recommencer une carrière dans l'État de New York »

Alec attendit une minute, croyant ainsi laisser passer l'orage. Puis il déclara :

« Ça va nous coûter cher d'aller nous installer ailleurs. Et nous ne sommes pas riches ! Après tout, Black est peut-être capable de porter un tel poids. Ça ne fait jamais que trois kilos de plus qu'hier.

— Voyons, Alec ! rugit de plus belle le vieil entraîneur. Trois kilos de plus à porter, oui. Mais une distance bien plus longue : deux mille mètres ! Comment Black pourrait-il se tirer d'affaire avec une pareille distance et, sur le dos, dix livres de plus que Casey ? Nous ne pouvons pas lui imposer un tel effort... sans compter l'humiliation ! »

Alec regarda le visage du vieil entraîneur. Plus le moindre signe de colère, mais une expression réfléchie, sérieuse. Impossible maintenant d'en douter : Henry était résolu à retirer Black du Brooklyn Handicap.

Tout en bavardant de la sorte, les deux amis longeaient sans hâte les écuries. En arrivant devant celle de l'étalon noir, ils trouvèrent plusieurs journalistes qui les attendaient — toujours les mêmes, ou presque. Henry leur répéta ce qu'il venait d'expliquer à Alec. Et cette fois, comme Alec, ils sentirent que sa décision était irrévocable.

« Pour nous, ça change bien des choses, dit finalement un journaliste. Nous avions tous l'intention de donner à peu près le même titre à notre article. Quelque chose dans le genre : "La Course du Siècle."

— Vous perdez Black, mais vous gardez Casey,

dit brusquement Henry. Il a tellement envie de gagner le Brooklyn qu'il figurera parmi les partants, soyez-en certains, malgré le poids qui lui est imposé. Depuis qu'il y a des courses, deux chevaux seulement ont porté soixante-huit kilos. Vous pouvez toujours raconter ça à vos lecteurs. Ça vous permettra d'allonger un peu vos articles.

— J'oubliais, reprit le journaliste. Nous avons aussi Éclipse. Nous venons de nous arrêter cinq minutes à son écurie. »

Henry ouvrit des yeux incrédules :

« Vous... quoi ?

— C'est bien d'Éclipse que je parle. Il court le Brooklyn. Il porte cinquante-huit kilos. Vous n'avez donc pas lu la liste jusqu'au bout, monsieur Dailey ? »

Alec avait glissé le journal dans sa poche. Il le tendit à Henry. La liste était très longue. Le 15 mai, cinquante-cinq chevaux avaient été engagés dans le Brooklyn Handicap. Éclipse figurait parmi les derniers de la liste, avec ce poids de cinquante-huit kilos.

Henry grommela :

« J'ai bien raison quand je dis que tout le monde ici est cinglé. »

Deux ou trois journalistes pouffèrent. Mais tous les autres gardèrent leur sérieux. L'un de ces derniers prit la parole :

« Une fois encore, Éclipse va courir contre des chevaux plus âgés que lui. De plus, on ne lui demande pas un simple sprint comme la dernière fois. Le Brooklyn se court sur deux mille mètres, il ne faut pas l'oublier. Casey... Black... Pour Éclipse, ce sont des adversaires redoutables. À mon avis... »

Henry l'interrompit :

« Tant qu'Éclipse portera un poids aussi ridicule, il n'aura pas Black pour adversaire. »

Un très jeune journaliste s'avança, toussota pour se donner de l'aplomb et attaqua en ces termes :

« Monsieur Dailey, je suis neuf dans le métier, mais je crois savoir qu'il existe une sorte d'échelle où figurent les poids que l'on doit faire porter aux chevaux selon leur âge et dont les handicapeurs font usage pour attribuer telle ou telle charge à tel ou tel cheval. Est-ce exact ?

— Cela ne me concerne en aucune façon, répliqua Henry. Adressez-vous à des handicapeurs. Personnellement, j'ai l'impression qu'ils se fichent de votre échelle comme de leur première culotte ! Enfin, disons qu'ils ne s'en fichent pas toujours. Car ils semblent bien l'avoir utilisée pour Éclipse. C'est-à-dire qu'ils ont tenu compte de son âge, mais Éclipse n'est pas un trois ans ordinaire. Et cela, c'est une injustice pour les autres chevaux. Une injustice que Black ne subira pas, vous pouvez m'en croire ! »

Le jeune journaliste souriait, ravi. Il avait réussi à faire parler ce « vieux croûton » d'Henry Dailey ! De fait, Henry était lancé. Et il aurait continué de la même façon s'il n'avait tout à coup flairé le piège.

Sans crier gare, il se détourna et pénétra dans l'écurie. Alec, selon une habitude déjà ancienne, dut excuser son ami. Puis il le rejoignit dans le box de Black. Les journalistes se retirèrent, assez peu satisfaits. Pourtant ils connaissaient bien Henry Dailey. Ils savaient qu'avec lui presque toutes les interviews se terminaient de façon abrupte.

Les journalistes publièrent donc leurs articles. La plupart prenaient parti pour Henry, de façon souvent si éloquente que le vieil entraîneur eut pour lui, non seulement les jockeys, mais une très large fraction du public. Et le bruit courut que les entraîneurs refuseraient presque tous un affrontement entre Éclipse, si peu chargé, et leurs chevaux. On assura même que Casey, le « grand Casey », serait déclaré forfait. Naturellement, Mike Costello, son jockey, était furieux.

Le handicapeur demeura inébranlable. Toutefois, il publia un bref communiqué : « J'exerce cette profession depuis presque quarante ans. Mon rôle est de donner aux concurrents des chances égales. Je continuerai dans le même dessein jusqu'à ma retraite. Je ne modifierai pas les poids que j'ai attribués aux différents concurrents dans le Brooklyn Handicap. »

Henry lut ce communiqué, puis se tourna vers Alec :

« Eh bien, voilà qui est net. Samedi, nous ne courrons pas. »

Mais il comptait sans un personnage important, le président de la Société de courses. Celui-ci annonça, dans la presse du jeudi, que, pour la première fois dans l'histoire du Brooklyn Handicap, cette épreuve serait dotée d'un prix qui pourrait dépasser cent mille dollars. Il concluait en ces termes : « Nous espérons sincèrement que, devant un tel enjeu, certains entraîneurs renonceront à leurs ultimes hésitations. »

Cent mille dollars ? Il eût été ridicule de réfléchir indéfiniment. Ce même jour, l'entraîneur de Casey tint une sorte de conférence de presse. Il y annonça que son champion alezan prendrait sûrement part au Brooklyn Handicap. Il ajouta :

« Bien sûr, je continue à protester contre la différence de poids, vingt livres, entre mon cheval et Éclipse. Mais, pour cent mille dollars, nous relèverions le défi de Pégase lui-même ! »

Un peu plus tard, dans la soirée, Henry déclara :

« Le président a su toucher le point sensible. Tout le monde sait que nous avons besoin de cent mille dollars pour reconstruire notre écurie. Samedi, nous essaierons de nous abattre sur ce joli tas de dollars. Toutefois, un mot encore, si on veut bien me le permettre. Trois chevaux de valeur vont s'affronter. Ils seront chargés de façon assez fantaisiste, pour ne pas dire injuste. Je sais que le Brooklyn va être pour moi un supplice. Mais je ne perds pas tout à fait confiance. Quand les partants sont de cette classe, il peut se produire des surprises qui, parfois, compensent de trop criantes inégalités. »

Chapitre 18

Le Vieux
de la Montagne

Tel était le surnom que Mike Costello avait donné au handicapeur. Il s'agissait en effet d'un homme âgé, au crâne déplumé sur lequel voltigeaient quelques cheveux blancs. Sa main tremblait lorsqu'il griffonnait dans son calepin le poids qu'il imposait à tel ou tel cheval. Mais il ne portait pas de lunettes et prétendait que son regard restait aussi perçant que jamais. Tout le monde le considérait comme une autorité dans sa profession. Quand il infligeait à un cheval une charge que tout le monde estimait exagérée, la suite lui donnait souvent raison, mais il lui arrivait aussi de se tromper.

Le Vieux de la Montagne n'avait pas aimé la façon dont Casey avait gagné le Carter Handicap le lundi précédent. À soixante-sept kilos et demi, l'alezan avait, dans la dernière ligne droite, traité ses rivaux comme quantité négligeable. Cela ne devait plus se reproduire. Non que le Vieux aimât les tocards. Mais il détestait les victoires trop éclatantes. Il y voyait la preuve qu'il n'avait pas su donner à chacun une chance égale.

Cette semaine-là, il assista, en spectateur très attentif, aux derniers entraînements des trois grands cracks. Certes, il était résolu à ne modifier en rien ses décisions. Et d'ailleurs il n'en avait plus le pouvoir. Il voulait simplement vérifier sur place la qualité de ses jugements.

Le premier à passer l'examen fut Casey. Le Vieux l'observa à l'entraînement sur la piste de l'hippodrome de Belmont Park. Il constata que l'alezan était dans une condition physique parfaite et, avec cela, plein d'ardeur au travail, plein de fougue.

Il pressa sur le bouton de son chronomètre et marmonna :

« Mille six cents mètres en une minute quarante secondes... Il n'y a pas de quoi s'extasier. »

Casey aurait fait mieux si Mike Costello l'avait poussé un peu. Il revint d'un pas dansant, sans montrer le moindre essoufflement. Quelques curieux matinaux l'accompagnèrent jusqu'à son écurie.

Le Vieux hocha sa tête chenue. En ce qui concernait Casey, il ne s'était pas trompé. Il avait même eu rudement raison. Bien sûr, il aurait pu le charger un peu plus encore. Mais il aurait dû en faire autant pour Black. Et cela, impossible. Un propriétaire lui avait dit un jour : « Vous ne pouvez pas empêcher mon cheval de gagner, mais si vous continuez à le charger vous allez l'empêcher de courir ! » Certaines limites ne doivent pas être dépassées. Il avait trouvé la bonne solution en abaissant à cinquante-huit kilos la charge d'Éclipse. Ainsi, Casey et Éclipse fonceraient ensemble vers l'arrivée. Du moins, il le croyait...

À propos d'Éclipse, celui-ci faisait justement son

entrée sur la piste. Trapu, robuste, on le devinait prêt à n'importe quel effort, quelles que fussent les circonstances. C'étaient là des détails qu'un bon handicapeur doit garder en mémoire.

Un moment, Éclipse resta immobile, l'œil morne, la croupe bizarrement basse. Puis Ted Robinson, son jockey, le frôla de sa cravache. Alors, ce fut le réveil, le démarrage...

Le Vieux reprit son chronomètre, et ses yeux s'agrandirent, son visage prit une expression d'incrédulité. Quelle démonstration magistrale de vitesse !

Un chronomètre ne peut mentir : les mille six cents mètres venaient d'être couverts en une minute trente-trois secondes trois dixièmes. Le Vieux ne put s'empêcher de dire à haute voix :

« Jamais rien vu de pareil ! Jamais ! »

Il suivit Éclipse jusqu'à son écurie. Mêlé à quelques badauds, il assista à la toilette de ce poulain de trois ans, de ce champion. Et il ne le quitta pas un instant du regard pendant tout le temps qu'on le promena, après lui avoir jeté sur le dos une couverture rouge.

Toutefois, en fin de compte, il décida qu'Éclipse ne valait pas Casey. Il était donc normal que ce dernier portât vingt livres de plus qu'Éclipse. Les chances restaient ainsi parfaitement égales.

« J'avais raison, comme toujours ! » murmura le Vieux en faisant demi-tour.

Il revint à la piste comme Black y faisait son apparition. « Ah ! celui-là... c'est un cheval ! » pensa-t-il, admiratif. Il courut s'adosser à la barrière, tira son chronomètre, attendit, avec, pour la première fois, un rien d'impatience.

L'étalon noir, plein de feu et du désir de s'élancer, caracolait, faisait des siennes. Henry, sur Napoléon, tournait autour de lui, s'efforçait de le calmer.

Le Vieux observait, fouinait, captait le moindre détail. « Pas de doute, se disait-il, Henry Dailey l'a préparé à fond, l'a aiguisé comme une lame. Black est fin prêt. Et quand il est dans cet état... » Il évoquait des exploits lointains dont l'étalon noir avait été le héros. Chicago, par exemple. Qui s'en souvenait encore, parmi tant d'autres hauts faits ? Lui seul, peut-être. Mais le moment était mal choisi pour se délecter à revivre le passé. Un handicapeur digne de ce nom ne doit vivre qu'au présent.

Black partit en trombe. Ses foulées étaient immenses, ses sabots semblaient à peine toucher le sol. Alec s'était couché sur l'encolure. Quel était son rôle ? Laissait-il faire ? Ou bien, pour sa monture, était-il le chef, le maître très exigeant et merveilleusement obéi ? À cette distance, impossible de le préciser.

L'entraînement terminé, le Vieux regagna sans un mot son bureau. Mais, tout en marchant, il monologuait : « Cet Alec Ramsay est plus habile que n'importe quel jockey. Un claquement de doigts ou de langue, une pression des genoux... il obtient tout ce qu'il veut. Il garde ses rênes à demi flottantes. Pourtant, avec quelle autorité il le tient, son splendide étalon noir ! Il doit y avoir entre eux une harmonie secrète... magique... »

Cependant, si le Vieux en croyait son chronomètre, Black n'avait couvert les mille six cents mètres qu'en une minute trente-huit secondes. Deux secondes de moins que le temps de Casey. Résultat modeste, assez inattendu, bien différent en somme de ce qu'Henry Dailey avait, non sans emphase, annoncé la veille dans presque tous les journaux du soir.

Le Vieux de la Montagne se mit à arpenter son bureau d'un pas nerveux. Ne s'était-il pas trompé dans ses calculs ? Black était-il vraiment aussi rapide qu'il l'avait cru, plus rapide que Casey et infiniment plus qu'Éclipse ? Ne s'était-il pas laissé aveugler par des souvenirs, entre autres le tour de force qu'avait accompli à Chicago l'étalon noir, des années auparavant ? Il soupira :

« J'ai dû le croire capable de recommencer... S'il en est ainsi, c'est que, décidément, je ne suis plus qu'une vieille bête ! »

Et il conclut :

« Bah ! On verra bien, samedi, si je me suis trompé. »

*
* *

Ce samedi-là, trois chevaux pénétrèrent sur la piste d'Aqueduct pour disputer le Brooklyn Handicap. Numéro un : Éclipse... Numéro deux : Casey... numéro trois : Black. Il n'y avait pas d'autres concurrents.

Les forfaits étaient évidemment très nombreux. Presque tous les chevaux avaient été retirés par leurs entraîneurs. Ceux-ci avaient décidé au dernier moment de ne pas se mêler à ce qu'on n'appelait plus que « La Course du Siècle ». Il ne s'en trouva même pas un seul pour viser la quatrième place, qui devait pourtant rapporter deux mille cinq cents dollars. Ces vrais sportifs se contentèrent d'adresser à la direction de l'hippodrome une courte note dans laquelle ils disaient : « Nous vous abandonnons volontiers cette somme. Nous nous contenterons de prendre place dans les tribunes et d'admirer le spectacle. »

Henry, sur Napoléon, dit à Alec :

« Même deux chevaux de plus n'auraient guère gêné Éclipse et Casey. Aujourd'hui, il n'y aura ni incidents, ni accidents, ni surprises. Il n'y aura que de la sueur, des efforts acharnés, de la vitesse ! »

Alec ne répondit pas. Il était occupé à s'entretenir avec Black, dans un langage sans mots, sans onomatopées. Un langage uniquement composé de caresses ou de frôlements du bout des doigts. Il essayait de lui faire comprendre qu'il n'avait aucune raison de s'inquiéter, que la rumeur de la foule et les flonflons de l'orchestre étaient choses insignifiantes. Il essayait aussi de réveiller dans sa mémoire les souvenirs glorieux d'autres courses, devant d'autres foules...

« Une chose est sûre, reprit Henry. Il tiendra les deux mille mètres. Il peut produire son effort de bout en bout. »

Black se cabra de toute sa hauteur et, en retombant sur ses antérieurs, il heurta — selon son habitude — le pauvre vieux Napoléon. Alec vacilla sur sa selle, se redressa et raccourcit les rênes.

Henry revint à son idée :

« Remarque bien, si la distance était plus courte, je serais moins inquiet au sujet du poids. »

À ce moment, Casey passa à une cinquantaine de mètres. Black eut un mouvement agressif vers lui. Alec le retint à temps. L'orchestre, après un bref silence, attaqua brusquement une marche joyeuse, assez discordante. Black tressaillit et fit un bond latéral. Mais Alec ne se laissa plus surprendre. Par quelques légères tractions sur le mors, il fit comprendre à l'étalon noir que les plaisanteries de ce genre étaient déplacées dans un moment aussi solennel.

Derrière les barrières, des milliers et des milliers de spectateurs se dressaient sur la pointe des pieds pour essayer de voir les concurrents. Beaucoup hurlaient de toute la puissance de leurs poumons. Intrigué, Black orientait vers eux ses oreilles.

Henry expliqua à Alec :

« J'ai mis la plus grande partie du plomb le plus près possible du garrot. J'ai remarqué depuis longtemps que cet endroit est celui où la charge est le plus facile à porter. »

Les stalles de départ avaient été placées à quatre cents mètres du premier virage. Les portes postérieures étaient déjà ouvertes. Les assistants du starter se préparaient à faire entrer les chevaux. Le juge au départ, patient, souriant, se tenait sur sa plateforme. Alec l'observait entre les oreilles de l'étalon noir.

Portant à sa bouche un micro, le starter, toujours souriant, déclara :

« Ne vous pressez pas, messieurs. Nous avons tout notre temps. »

Il plaisantait, bien sûr. On savait qu'il craignait comme la peste de donner un mauvais départ à cette course de si haute importance.

Black s'écarta de Napoléon. Henry se pencha un peu vers Alec et lui posa la main sur l'épaule.

« Je n'ai plus rien à te dire. Ou alors simplement ceci : Fonce, fonce, fonce ! C'est tout. Black galopera pour toi, avec tout son immense courage, jusqu'à la limite extrême de ses forces. Mais, cette limite, avec le poids qu'il porte, quand l'atteindra-t-il ? Pourvu que ce ne soit pas avant la fin des deux mille mètres ! »

Il laissa retomber sa main sur le pommeau de sa selle. Puis il attendit. Peu après, un aide starter fit signe à Alec de s'avancer. À ce moment, le vieil entraîneur ne put s'empêcher d'ajouter :

« Tu tiens dans ta main tous les atouts, Alec, tous ! »

Alec ne rompit pas le silence. La concentration durcissait son jeune visage bronzé. Il conduisit Black vers sa stalle et l'y fit entrer sans incident. Il lui dit, tandis que la porte se refermait dans son dos :

« Tu sais, c'est une course comme une autre. Donc, restons bien calmes tous les deux. »

Pourtant, il savait depuis longtemps que les courses, malgré les apparences, ne se ressemblent jamais.

Chapitre 19

Le Brooklyn Handicap

Chacun dans sa stalle, les trois concurrents attendaient. Un instant encore, et les portes allaient s'ouvrir.

Alec profitait de ces dernières secondes pour réfléchir :

« S'il sort lentement, laisse-le faire... jusqu'à ce qu'il ait trouvé sa cadence. Après, accorde-lui le maximum de liberté. Tu connais mieux que quiconque sa valeur et ce courage dont parlait Henry. Il est certes lourdement chargé. Mais il peut supporter n'importe quoi. »

Black ne bronchait pas, comme s'il comprenait que la partie n'avait jamais été aussi importante. Ses oreilles restaient pointées en avant. Il était prêt à s'élancer.

Alec sentait, sous ses genoux, les sacs de plomb solidement arrimés. Dans la stalle de gauche, Casey, le grand favori des foules new-yorkaises, guettait, fiévreux, agité de tressaillements, l'instant où il serait libéré des étroites parois capitonnées.

Dans la stalle numéro un, Éclipse donnait

quelques signes d'impatience. Puis il ne bougea presque plus. Des milliers et des milliers de regards étaient braqués sur lui. Un trois ans hors du commun. Un bel animal encore très jeune qui avait d'ores et déjà montré des qualités exceptionnelles. Il avait su, avec virtuosité, sortir de sa catégorie et s'imposer dans celle des champions expérimentés. La jeunesse affrontant la maturité. Que d'espoirs on pouvait fonder sur lui !

Mais il n'était pas seul. Il y avait Casey... et Black surtout !

Le retour de l'étalon noir sur les hippodromes avait été lent, prudent. D'abord une course, qui n'avait été qu'un simple sprint. Quant à la deuxième, elle ne comptait guère, puisqu'elle se résumait au sauvetage de Billy Watts et de Gunfire. « En somme, pensaient les turfistes, Black a été grand. Mais l'est-il encore ? Il n'a pas refait ses preuves. On a vu des chevaux de cette classe battus, après une trop longue absence, par des concurrents mieux préparés, endurcis par la compétition. »

D'autres questions se pressaient dans l'esprit des spectateurs. Chaque jockey avait-il mis au point une stratégie ? Quel était celui qui prendrait la tête et imposerait une cadence ? Pourquoi pas Ted Robinson ? Rien ne l'empêchait de profiter du fait que son cheval était bien moins chargé que Casey et Black. Dans ce cas, Mike Costello et Alec Ramsay se laisseraient-ils distancer sans livrer à Ted Robinson un combat acharné ? Beaucoup de chevaux s'étaient vainement épuisés à essayer de rejoindre le rapide Éclipse au début d'une course. Les jockeys feraient-ils une course d'attente ? Sauraient-ils guetter le moment où, ayant gaspillé son énergie,

Éclipse faiblirait ? Une course était faite d'une seule pointe ou de plusieurs qui pouvaient se produire au début, au milieu ou à la fin. La vitesse véritable est généralement brève. Aucun cheval n'est capable de galoper à fond, en mettant en action toutes ses réserves, sur une distance supérieure à quatre cents mètres. L'effort est accompli par les seuls chevaux. Ce sont eux qui courent. Mais comment procéderaient ceux qui étaient chargés de les guider ? Des trois jockeys, quel était celui qui, dans ses mains, cachait la victoire ?

Alec caressait l'encolure de Black. Précaution machinale et bien inutile. Jamais l'étalon noir n'avait été aussi paisible. Un instant, Alec eut peur : cette tranquillité n'était-elle pas anormale ? Mais non, tout allait bien. Ce matin-là, Black avait mangé avec appétit. Ses jambes étaient en bon état, sa marche parfaite. Il avait très bien supporté, à l'intérieur du van, le court voyage de Belmont Park à Aqueduct. Et nulle part, il n'avait attendu longtemps, même pas au paddock.

Soudain, Casey se cabra et heurta avec fracas les parois de sa stalle. Mike Costello ne parvint à le calmer qu'avec l'aide d'un aide starter.

Black, tiré de sa torpeur, hennit et, lui aussi, se cabra. Alec le fit retomber sur ses antérieurs. Cet incident le soulageait. Il y voyait la preuve que l'étalon noir restait lui-même, sensible à tout ce qui se passait autour de lui.

Mais Black retomba sur-le-champ dans la même indifférence. Alec faillit perdre patience. Il lui donna sur l'encolure quelques coups avec le plat de la main.

« Tu ne vas tout de même pas t'endormir ? Le

starter est prêt à appuyer sur son bouton. Tu ne sens donc pas que le départ est proche ? Dans cinq, dix secondes... »

Il leva la tête, scruta le ruban de la piste. À quel moment de ce long parcours Black sentirait-il jusqu'à la souffrance les soixante-treize kilos de son fardeau ? Du coin de l'œil, Alec vit Casey qui, de nouveau se cabrait. Mike le reprit en main aussitôt, le contraignit à se reposer sur ses antérieurs. Mais, dans ce mouvement, l'alezan frappa la porte du sabot, si violemment qu'elle s'ouvrit. Et, dans la même seconde, les deux autres portes s'ouvrirent aussi. Singulière coïncidence : le starter avait appuyé sur son bouton. « La Course du Siècle » commençait.

Casey sortait de sa stalle quand Alec en était encore à détendre les rênes de Black. En un deuxième bond, l'alezan de Mike Costello était déjà loin, entraînant Éclipse dans son sillage. Ted Robinson parut surpris : ce n'était pas souvent que Mike Costello prenait la tête dès le démarrage, avec l'intention bien visible de la garder. Alec, lui aussi, fut étonné quand Mike, faisant usage de sa cravache, contraignit l'alezan à forcer l'allure, jusqu'à ce que celui-ci se trouvât assez loin d'Éclipse pour être en mesure d'obliquer vers la corde sans le moindre risque.

La foule cria. Elle approuvait Casey, son départ foudroyant, et surtout ce sprint inattendu, alors que le peloton n'avait encore couvert que quatre cents mètres et s'apprêtait à entamer la piste de mille six cents mètres à l'extrémité de laquelle il y avait, pour l'un des trois champions, la défaite ou la victoire.

Alec ne fit rien pour empêcher Black de s'installer à la troisième place. Il y attendrait patiemment le moment propice. Contrairement à ses concurrents, il n'avait pas projeté de prendre la tête. Il savait que Black, pour gagner, devait laisser ses adversaires s'épuiser. Puis, dans les derniers deux cents mètres... Mais on n'en était pas là.

En attendant, Alec ne songeait guère à retenir Black. Les rênes humides glissaient dans ses mains. Les trois chevaux s'engagèrent dans le premier tournant. Casey était toujours en tête, à cinq longueurs. Éclipse se maintenait dans son sillage. Ted Robinson semblait maintenant accepter que Mike Costello prît le train à son compte. En tout cas, il ne tentait rien pour le dépasser. Quant à Alec, il jugeait que la course se déroulait, pour lui, dans des conditions satisfaisantes.

Quelques secondes plus tard, Black réduisit de moitié la distance qui le séparait des deux leaders. Dans le milieu du tournant, sa tête se rapprocha de plus en plus de la croupe d'Éclipse. Alec, pour raccourcir ses rênes, dut les enrouler autour de ses mains. Black secoua la tête, chercha à se libérer.

Alec, tout en restant derrière Éclipse, s'éloigna un peu de la corde. Il n'envisageait pas de passer, car il avait percé à jour la stratégie de Mike Costello. Le vieux jockey n'avait pas pris la tête pour distancer Black, mais pour imposer un faux train. Au fond, il voulait que sa monture, malgré une charge de soixante-huit kilos, fût encore en possession de tous ses moyens quand débuterait le sprint final.

Ted Robinson ne s'était pas rendu compte que la cadence devenait de moins en moins rapide et que les foulées de son cheval étaient de plus en plus courtes. Mike Costello avait appliqué là un truc qui n'était guère nouveau. Mais, dans son exécution, il avait apporté une habileté diabolique. Il avait ralenti progressivement, par petites touches insensibles, sans donner l'éveil.

Black, retenu énergiquement, manifestait une colère croissante. Cependant, Alec n'était pas mécontent. Pour un peu, la stratégie de Mike Costello l'aurait ravi. Cette modeste cadence devait convenir à l'étalon noir, comme elle convenait à Casey. Seul, Éclipse risquait d'en faire les frais. Peu chargé, ce trois ans aurait sans doute usé ses concurrents s'il avait pris la tête dès l'ouverture des stalles et s'il l'avait gardée. Il aurait fallu essayer de le rejoindre. Et cela se serait peut-être soldé par un échec.

Black continuait à secouer la tête, à se débattre contre le mors, en soufflant bruyamment. Ted Robinson jeta un coup d'œil derrière lui. Mais il n'essaya pas de s'éloigner de la corde et de dépasser Casey. Il ne paraissait pas avoir deviné la manœuvre de Mike Costello. Quant à celui-ci, il ne se retourna pas une seule fois. Alec savait que le fin renard avait l'oreille fine et qu'il surveillait ses adversaires avec une attention constante, par le seul roulement des sabots de leurs montures. Si Alec et Ted Robinson se rapprochaient, Mike Costello accélérerait immédiatement. Toutefois, jusque-là, il se maintiendrait à la même allure.

Alec raccourcit encore ses rênes. Pas question de laisser Black dépasser Éclipse. Du moins pas encore. Alec était en excellente position pour démarrer. Mais pourquoi se serait-il pressé ? Il avait tout son temps.

Après le tournant, les trois champions abordèrent la ligne droite. Ils avaient couvert les premiers huit cents mètres. Il leur en restait mille deux cents à parcourir. Au passage d'un poteau, Alec vit Ted Robinson lancer un regard à sa main gauche. Il comprit : le jockey d'Éclipse s'était muni d'un chronomètre.

La manœuvre de Mike Costello était éventée !

Alec s'apprêta à foncer. Jamais il n'avait retenu Black avec tant de dureté et si longtemps. Les rênes s'enfonçaient dans ses paumes. Ted Robinson, averti par son chrono que l'allure était d'une lenteur anormale, fut le premier à accélérer. Il appliqua plusieurs coups de cravache à Éclipse. Le poulain bondit, amorça un crochet sur la droite de Casey. Alec poussa Black dans la même direction, mais par un crochet plus large, afin de ne pas entrer en collision avec Éclipse. Mike Costello dut se rendre compte que sa ruse avait fait long feu. Il poussa énergiquement Casey, en s'efforçant de demeurer devant Éclipse. Maintenant la course battait son plein. Plus de manœuvre, un seul but : le poteau d'arrivée.

Mais Black avait sans doute été retenu trop longtemps. Il continuait à secouer la tête avec des grondements de fureur. Il voulait se débarrasser de toute contrainte : des rênes, du mors, même des mains de son jockey. Il fit un écart si brutal qu'Alec faillit perdre l'équilibre, lâcha les rênes, se coucha sur l'encolure et dut enfoncer ses doigts dans la crinière !

Alors, libre enfin, l'étalon noir se rua à la poursuite de ses rivaux. À une quinzaine de longueurs, Éclipse, déchaîné, dépassait Casey, prenait la tête et se plaçait à la corde. Les rôles étaient renversés. Mike Costello devait se résigner à suivre le train imposé par Éclipse.

De son côté, Black donnait déjà toute sa mesure. Il galopait l'encolure horizontale, les naseaux dilatés, comme grisé par sa liberté toute neuve. Alec rassembla ses rênes, mais sans les raccourcir. La distance qui le séparait des fuyards commençait à diminuer. Il savait qu'Éclipse maintiendrait jusqu'au bout le même rythme soutenu. Il n'y aurait plus d'à-coups, plus de démarrages, plus de retour à une lenteur toute relative où Black, si lourdement chargé, pouvait reprendre souffle. Mais quoi ? Le même effort, ou presque, était exigé de Casey et du vieux Mike Costello. Ceux-ci, comme Alec et Black, devaient lutter pour rejoindre Éclipse, le poulain encore si jeune à qui la nature semblait avoir donné des ailes.

Alec stimulait Black de la voix. Lui-même gardait une immobilité totale. Et, sous ses genoux, les sacs contenant tous ces kilos de plomb ! Avec quel plaisir il les aurait vidés sur la piste, si les règles du jeu n'avaient pas comporté la pesée après la course !

À chaque seconde, la distance se réduisait. Encore quelques mètres... Les deux leaders galopaient de plus en plus vite. Pourtant, Black s'en rapprochait, centimètre par centimètre.

L'un derrière l'autre, ils abordèrent le deuxième tournant. Les trois jockeys savaient que leurs montures souffraient. Et il restait encore huit cents mètres à couvrir !

Éclipse gardait la même allure. Mais ses foulées devenaient moins souples, moins aisées. Casey tenait bon, encore qu'il ne fût plus aussi ardent, aussi rapide. Black les rejoindrait dans quelques secondes. Toutefois, il donnait l'impression de peiner, comme un homme qui se hisse le long d'une corde avec ses seules mains. Visiblement, ce train d'enfer et le poids dont il était chargé commençaient à l'éprouver.

Alec le rabattit à la corde. Il y avait peut-être là un chemin plus court vers la ligne d'arrivée... Pour le reposer un peu avant le déboulé final, il essaya de le reprendre très légèrement.

Black ne voulut rien entendre. Il recommença à secouer la tête, à se débattre. Il semblait refuser le plus bref répit, le plus court repos. Il irait jusqu'au bout, car telle était la nature de son courage, même s'il devait en mourir.

Mais, sous ce rapport, Éclipse et Casey ne lui étaient pas inférieurs. En authentiques champions, ils émergèrent du tournant et, ensuite, sans ralentir, ils entamèrent les quatre cents derniers mètres. Maintenant commençait l'empoignade finale. Des trois concurrents, quel était le plus rapide, le plus résistant, le plus valeureux ?

Les tribunes se dessinaient déjà sur la droite. Moins de quatre cents mètres... Éclipse, encore plein de fougue, filait toujours à la même allure. Les spectateurs hurlaient. Cependant, le nom qu'ils prononçaient n'était pas celui d'Éclipse. C'était celui de Casey. L'alezan peinait au côté du poulain. Derrière eux, Black rasait la corde et, seconde après seconde, réduisait la marge qui le séparait des leaders.

Au dernier poteau — deux cents mètres avant l'arrivée — Éclipse apparut à la foule comme le vainqueur. Bien sûr, Casey et Black ne cessaient de le talonner. Mais parviendraient-ils à le rattraper ? Au reste, la distance serait bientôt réduite à néant. Le temps pressait ! Les spectateurs savaient qu'à poids égaux Éclipse aurait été battu. Mais cette course était un handicap. La charge, du moins en principe, était équitablement répartie.

Alec écarta Black de la corde, sans le ralentir. Le plus court chemin était barré par Casey et Éclipse. Et ils l'occupaient fermement. Il fallait donc en trouver un autre. Alec dirigea son cheval vers l'extérieur, sans hésiter à perdre quelques-uns de ces centimètres si chèrement gagnés. Mais, maintenant, il n'y avait plus rien devant eux ! Black alla à fond. Son galop devenait dur, sa respiration plus courte. Bientôt, tout comme Casey et Éclipse, il vit, là-bas, le poteau d'arrivée.

Les trois concurrents étaient si près l'un de l'autre qu'ils semblaient se toucher. Parmi des milliers et des milliers de spectateurs, un seul restait immobile. C'était un vieillard aux rares cheveux blancs. Il serrait son chapeau dans ses mains pour les empêcher de trembler. Il regardait Casey et Éclipse galoper côte à côte. Il se rendait compte que l'étalon noir les remontait à chaque foulée, tandis qu'Alec Ramsay, son jockey, ne bougeait pas plus qu'une statue, sans doute parce qu'il savait qu'il n'y avait aucune raison de stimuler son cheval, puisque celui-ci, dans un élan fou, était en train de jeter à tous vents ses ultimes ressources.

Puis, soudain, le vieillard lui-même se dressa comme un ressort et hurla avec la foule.

Alec avait senti que Black se déchaînait. D'une détente irrésistible, l'étalon noir, gagnant toujours du terrain, se trouva à la hauteur même de Casey et d'Éclipse. Puis, une nouvelle détente, plus puissante encore, le porta en avant de ses rivaux et au-delà de la ligne d'arrivée.

« Ouf ! fit le Vieux de la Montagne. Si je lui avais imposé un kilo de plus, je commettais une drôle d'erreur ! »

Chapitre 20

Quand le rideau tombe...

Black dut se rendre compte que la course était terminée, car, sans la moindre intervention d'Alec, il ralentit et raccourcit ses foulées. Il galopa néanmoins jusqu'au tournant. Là seulement il s'arrêta. Il resta immobile, les yeux fixés sur la pelouse, dans l'ovale de la piste, comme s'il dédaignait l'assourdissant concert de hurlements et d'acclamations qui ébranlait les tribunes.

Finalement, obéissant à Alec, il fit demi-tour et revint sur ses pas. Selon toute évidence, il était épuisé. Il marchait lentement. Cependant, sa respiration restait assez facile et régulière. Aux milliers de personnes qui l'attendaient, il dut donner une impression d'indifférence, comme s'il venait d'accomplir un banal entraînement. Mais Alec connaissait la vérité. Pour gagner cette course, Black avait dû follement dépenser toutes les ressources de son grand cœur et de son courage.

En le caressant, Alec sentait sous ses mains humides se gonfler et palpiter des veines qu'il lui eût été difficile de localiser en temps ordinaire. Il

souhaitait soulager au plus vite l'étalon noir. Pour cela, il lui aurait fallu mettre pied à terre. Mais, selon le règlement, il ne pouvait le faire sans y avoir été autorisé par les juges. Aussi regardait-il avec une expression agacée la foule qui attendait son retour aux balances.

« Je te tirerai de là aussi vite que possible, souffla-t-il à l'oreille de Black. Tu en as déjà assez fait comme cela ! »

Des photographes de presse s'avancèrent en rangs serrés, prenant cliché sur cliché. Henry Dailey accourut, saisit la bride de l'étalon noir. Le vieil entraîneur gardait le silence, mais il couvait d'un œil admiratif le cheval et son jockey. Pour dominer le brouhaha, Alec dut lui crier :

« Il n'en peut plus, Henry ! Arrangez-vous pour que ça ne traîne pas. »

Un moment après, Black pénétrait dans l'enceinte des balances. Alec entendit Mike Costello prononcer dans les micros de la radio et de la télévision :

« Nous ne cherchons pas des excuses. Mais, contre Black, il n'y avait rien à faire ! »

Les photographes continuaient à prendre des clichés. Alec restait tourné vers la tribune des juges. Black, énervé, lança une ruade. Alors, les juges donnèrent le signal attendu. En hâte, Alec se laissa glisser à terre, déboucla la sangle et, la selle dans ses bras, il se rendit à la pesée.

« Soixante-treize kilos, vérifié », dit le préposé.

Le Brooklyn Handicap était maintenant terminé. Le rideau tombait. Et la nouvelle de la victoire de l'étalon noir pouvait voler aux quatre coins du monde.

Alec voulut revenir vers son cheval. Mais la

foule était de plus en plus dense. Il fut arrêté par des journalistes de la télévision. En se dressant sur la pointe des pieds, il vit Black qui, pour se dégager, ruait pour la deuxième fois. Henry tenait d'une main la bride, tandis que, de l'autre, il recevait un plat en argent que lui tendait un digne représentant du comité. L'élégant personnage, durant cette brève cérémonie, ne cessa de surveiller Black d'un regard méfiant.

Un journaliste de la télévision prit Alec par l'épaule et l'attira devant une caméra :

« Alec Ramsay, recevez nos félicitations pour cette belle victoire. Vous êtes l'un des rares jockeys dont le cheval, après une glorieuse carrière, et une assez longue absence, fasse une rentrée extrêmement brillante. Parlez-nous de lui. Qu'avez-vous éprouvé dans la dernière ligne droite ? Avec quelle fougue Black a couvert les deux cents derniers mètres ! Il nous a semblé qu'il était indomptable et prêt à vaincre coûte que coûte. Est-ce votre avis ? »

Alec approuva d'un signe de tête et répondit :

« Je savais qu'il rejoindrait ses rivaux. Mais je n'étais pas sûr qu'il y parviendrait à temps.

— Quelle extraordinaire arrivée ! Vous n'ignorez pas, bien sûr, que Casey et Éclipse ont terminé ensemble, *dead heat ?* »

Alec approuva de nouveau :

« Ils galopaient tête contre tête quand nous avons surgi. L'échelle des poids avait été bien établie. Mais on ne l'a compris qu'au dernier instant.

— Dans l'histoire des courses, déclara pompeusement le journaliste, cette arrivée restera comme la plus extraordinaire, la plus mémorable ! »

Alec voulut s'éloigner. Mais le journaliste le rattrapa :

« Encore un mot, Alec, je vous prie. Quels sont vos projets ? »

Alec sourit :

« Vous me prenez au dépourvu. Je puis toutefois vous dire que nous allons reconstruire notre écurie. Et nous ferons en sorte qu'elle ne soit plus exposée à flamber comme une allumette.

— Oui, votre écurie, nous savons. Mais Black ? Il ne peut tout de même pas s'arrêter en si bon chemin !

— Pour cela, adressez-vous à Henry. »

Et tandis que le journaliste, micro en main, le suivait empêtré dans ses câbles, Alec glissa à l'oreille du vieil entraîneur, en lui prenant la bride :

« Occupez-vous un peu de ce bavard ! »

Puis, lentement, prudemment, il éloigna Black. Il était déjà à une cinquantaine de mètres que la voix criarde du journaliste lui parvenait encore :

« Ah ! Henry Dailey ! Vous avez magistralement entraîné ce grand cheval ! Mais un grand cheval pose parfois des problèmes. Il risque de perdre sa forme, si vous refusez de l'engager dans d'importantes compétitions. Sans oublier celles qui se déroulent à l'étranger. Par exemple, en Angleterre, l'Ascot Gold Cup ; en France, le Prix de l'Arc-de-Triomphe ; en Italie...

— N'en jetez plus ! s'exclama Henry. Pourtant, ce n'est pas une mauvaise idée. Et, après tout, à l'étranger, nous serions peut-être moins pénalisés qu'ici. Mais, pour l'instant, voyez-vous, il faut que je m'occupe de mon grand cheval. Il faut le soigner, le promener... À bientôt, vous tous ! »

Sur les innombrables petits écrans des États-Unis, on put voir alors Henry Dailey qui, tournant le dos, courait rejoindre Alec et Black. Les téléspectateurs, ainsi que les turfistes encore rassemblés autour de l'enceinte des balances, auraient aimé pouvoir observer son visage. S'ils en avaient eu la possibilité, ils auraient compris que le vieil entraîneur n'avait pas accueilli à la légère la suggestion du journaliste. Et qu'il songeait déjà, aux États-Unis ou au-delà de l'Océan, à « d'importantes compétitions ». Car, pour l'étalon noir, n'est-ce pas, il y en aurait toujours !

Table

Table

Composition *Jouve* - 53100 Mayenne

Imprimé en France par *Partenaires-Livres*®
n° dépôt légal : 3946 - novembre 2000
20.07.0608.01/8 ISBN : 2.01.200608.6
Loi n° 49-956 du 16 juillet 1949
sur les publications destinées à la jeunesse